taxi!

méthode de français

1

Guy Capelle

Robert Menand

HACHETTE
Français langue étrangère
www.hachettefle.fr

Crédits photographiques
AKG/26. **Bridgeman Giraudon**/27g./P. Willi : 27d. **Corbis**/O. Franken : 36 (vue du port de La Rochelle). **Gamma Presse Images**/P. Aventurier : 58d./Cor Vos/photo news : 91d./R. Gaillarde : 90./N. Le Corre : 59g./R. Mazin/Figaro magazine : 56 (vue de l'immeuble *La Pedrera* de Gaudí à Barcelone – Espagne)./S. Merillon : 91d2. **Hémisphères**/A. Félix : 81./S. Frances : 34./E. Suetone : 78 (vue de l'île de Santorin – Grèce). **Hoa-Qui**/S. Areman : 17g./P. Coll. : 16c. **Jerrican**/Gaillard : 59g./Malguy : 80./F. Raga : 44 (vue du jet d'eau à Genève – Suisse). **Catherine Millet**/16d. **Photononstop**/T. Bognar : 36 (vue de la Grosse Horloge de La Rochelle)./Sime : 59. **Rapho**/F. Ancellet : 17d./M. Baret : 16g./G. Garrigues : 91g11./V. Winckler : 88. **Roger-Viollet**/59. **Lucas Schifres**/12, 23, 24, 25a, 25b, 25c, 25d, 25e, 30, 40, 43, 64, 68b, 68h, 69, 84, 91g1, 91g3, 91g4, 91g6, 91d8, 91d9, 91d10, 98, 100, 101. **Scope**/J. Guillard : 77. **Sipa Presse**/58. **Sunset**/M. Dusari : 14 (vue de la Grand Place à Bruxelles). /Picturesque : 16. **Top**/J.-F. Rivière : 58g. **Vandystadt**/B. Bade : 48./L. Zabulon : 48-49.

Crédits pour les œuvres d'art (peintures)
Edgar Degas, *Dans un café ou L'Absinthe*, 1875-1876, musée d'Orsay, Paris, France.
Henri Toulouse-Lautrec, *À la mie*, 1891, Museum of Fine Arts, Boston, États-Unis.
Henri Matisse, *Grand Intérieur rouge*, 1948, musée national d'Art moderne, Centre Pompidou-CCI, Paris, France.
© succession H. Matisse 2002.

Intervenants
Cartographie : Laurent Rullier et Hachette Éducation
Conception graphique, photogravure et réalisation : Anne-Danielle Naname et Tin Cuadra
Couverture : Guylène et Christophe Moi
Illustrations : Annie-Claude Martin, Philippe Tastet et Zaü
Recherche iconographique : Brigitte Hammond
Correction : Josiane Attucci
Secrétariat d'édition : Claire Dupuis

Tous nos remerciements à Marie-José Capelle pour sa collaboration.

ISBN : 2-01-155508-6

© HACHETTE LIVRE 2003, 43, quai de Grenelle, F 75905 Paris CEDEX 15.

Avant-propos

Taxi ! 1 est une méthode de français pour adultes et grands adolescents qui propose :
– l'acquisition rapide d'une compétence de communication suffisante pour les échanges sociaux quotidiens ;
– une progression grammaticale rigoureuse et solide ;
– une maîtrise des contenus lexicaux (800 mots) ;
– une mise en place de stratégies interactives pour développer les savoir-faire et les savoir-être chez l'apprenant ;
– une maquette très claire : une leçon (une ou deux séquences classe) par double page et des consignes simples.

Taxi ! 1 suit les recommandations du niveau A1 du *Cadre européen commun de référence pour l'apprentissage, l'enseignement et l'évaluation des langues*. La méthode permet à l'apprenant de se préparer aux épreuves du nouveau DELF A1.

Taxi ! 1 présente trois aspects : thématique, fonctionnel et communicatif. Chaque unité comporte un thème dominant. La grammaire, fonctionnelle, est subordonnée aux objectifs communicatifs. Dès le premier niveau, l'apprenant pourra s'exprimer au présent, au passé et au futur. Afin de clarifier les objectifs à atteindre, le contenu grammatical et les actes de parole sont présentés sur la double page de chaque leçon d'apprentissage.

Taxi ! 1 est divisé en neuf unités de dix pages qui comprennent quatre leçons .
Les trois premières doubles pages, axées sur l'apprentissage, proposent chacune :
– une phase d'observation, d'hypothèses sur la langue, de compréhension globale puis fine des documents (dialogue, carte postale…) *(Découvrez)* ;
– un travail d'appropriation de la grammaire et des activités de systématisation en contexte. (Une démarche conceptuelle est proposée dans le guide pédagogique pour l'enseignant qui le souhaite.) *(Entraînez-vous)* ;
– un réinvestissement des acquis en compréhension et en production à l'oral *(Communiquez)* ;
– une phase de prononciation *(Prononcez)*.
La dernière double page axée sur l'écrit (prospectus, publicité, article…) met en place un travail spécifique sur les savoir-faire langagiers et les savoir-être autour des cultures française et francophones. Une minitâche concrète est proposée à l'écrit ou à l'oral.
La page *Bilan* permet de reviser les points de langue de l'unité de manière systématique et en contexte.

Toutes les trois unités, viennent s'insérer deux pages d'évaluation des quatre compétences : c'est la partie *Évaluation* conçue en liaison avec les épreuves du DELF A1. L'apprenant peut donc vérifier ses acquis au fur et à mesure de son apprentissage.

Le **cahier d'exercices de *Taxi ! 1*** permet de s'exercer à l'écrit, sachant que les points de langue du livre de l'élève sont systématiquement repris dans le cahier d'exercices. Les mots utilisés dans le cahier d'exercices sont ceux du livre de l'élève. Les apprenants peuvent donc travailler en totale autonomie.

Bonne découverte à tous avec *Taxi ! 1*

Tableau des contenus

UNITÉS	CONTENUS SOCIOCULTURELS	LEÇONS	OBJECTIFS COMMUNICATIFS
Unité 1 En route !	• Le savoir-vivre : (salutations, présentations...) • La francophonie dans le monde	**Leçon 1** **Bienvenue !**	• Saluer • Se présenter • Demander et dire le prénom et le nom
		Leçon 2 **Rencontre**	• Identifier une personne
		Leçon 3 **Ça va bien ?**	• Demander des nouvelles d'une personne • Demander l'âge, l'adresse, le numéro de téléphone • Formes de politesse
		Leçon 4 **Correspond@nce**	• Se présenter • Parler de ses goûts
Unité 2 À la découverte des objets	• Les objets personnels : leur localisation, leur description • Les couleurs • L'art : quelques artistes français (la peinture, la poésie)	**Leçon 5** **Passe-temps**	• Nommer des objets • Montrer et situer des objets
		Leçon 6 **Portrait-robot**	• Exprimer la possession • Indiquer les couleurs
		Leçon 7 **Boutique.net**	• Caractériser un objet • Demander et indiquer le prix
		Leçon 8 **Le coin des artistes**	• Montrer et situer des objets, des personnes
Unité 3 Où vivent les Français ?	• L'environnement des Français : le logement... • Découverte touristique d'une ville française (La Rochelle) et d'un département d'outre-mer (la Réunion)	**Leçon 9** **Appartement à louer**	• Situer un lieu sur un plan • S'informer sur un lieu
		Leçon 10 **Pour aller au Louvre ?**	• Demander son chemin • Indiquer la direction • Indiquer le moyen de transport
		Leçon 11 **Voyages, voyages**	• Situer un lieu sur une carte • Donner un conseil
		Leçon 12 **Week-end à la mer**	• Situer un lieu sur une carte • Indiquer la direction

ÉVALUATION 1

UNITÉS	CONTENUS SOCIOCULTURELS	LEÇONS	OBJECTIFS COMMUNICATIFS
Unité 4 Au rythme du temps	• La vie au travail et le week-end • Le sport	**Leçon 13** **Vous partez quand ?**	• Demander et donner l'heure • Indiquer une date • Faire une demande polie
		Leçon 14 **À Genève**	• Demander la profession de quelqu'un • Demander des informations
		Leçon 15 **Le dimanche matin**	• S'informer sur une activité actuelle • S'informer sur une activité habituelle • Dire quel sport on fait
		Leçon 16 **Une journée avec...**	• S'informer sur une activité habituelle
Unité 5 La vie de tous les jours	• Les achats de nourriture, de boissons et de vêtements • Les fêtes en France	**Leçon 17** **Mardi gras**	• Demander et exprimer des besoins • S'informer sur des habitudes • Indiquer des quantités
		Leçon 18 **Une bonne journée**	• Rapporter des événements passés • Exprimer une opinion, faire des compliments
		Leçon 19 **Où sont-ils allés ?**	• Parler d'événements passés • Interroger sur la durée
		Leçon 20 **Souvenirs de fête**	• S'informer sur des habitudes

OBJECTIFS LINGUISTIQUES		PHONÉTIQUE	SAVOIR-FAIRE
• Les verbes *être* et *s'appeler* au singulier du présent • Masculin et féminin • L'interrogation avec *qui*		• L'intonation montante, l'intonation descendante	• Saluer et se présenter
• Les articles définis au singulier : *le, la* • Masculin et féminin des noms et des adjectifs • *En/Au* + pays, *à* + ville		• La syllabation	• Présenter une personne
• Les verbes *aller* et *avoir* au singulier du présent • Les adjectifs possessifs au singulier • Les articles indéfinis au singulier : *un/une* • L'adjectif interrogatif *quel/quelle*		• L'accent tonique	• Parler de l'autre et s'informer
			• Se présenter par écrit
• Le pluriel des articles et des noms • Le verbe *être* au pluriel du présent • Les prépositions de lieu	• *Il y a* • L'interrogation avec *qu'est-ce que*	• Les marques orales du pluriel	• Décrire une pièce et ses objets
• Les pronoms *moi, toi, lui, elle, vous* • Le verbe *avoir* au pluriel du présent • La négation : *ne... pas*	• L'accord des adjectifs avec le nom • Les adjectifs possessifs au pluriel	• La liaison en [z]	• Décrire une personne avec ses vêtements
• L'adjectif interrogatif *quel(le)(s)* • L'interrogation avec *comment, combien* • Les démonstratifs *ce, cet, cette, ces*		• Les liens entre les mots	• Passer une commande
			• Écrire un poème et jouer avec la langue
• Les pronoms forts au pluriel *nous, vous, eux, elles* • Les prépositions • L'interrogation avec *où*		• L'articulation tirée, l'articulation arrondie	• Comprendre une petite annonce immobilière
• L'impératif • Le verbe *prendre* au présent	• Les prépositions • L'adverbe *y*	• La différence entre liaisons et enchaînements	• Demander et indiquer le chemin
• *C'est* + lieu, *c'est* + article + nom, *c'est* + adjectif • Les prépositions de lieu • *On*		• Les liaisons interdites	• Présenter un circuit de deux jours
			• Écrire une carte postale à un(e) ami(e)
• L'interrogation avec *quand ?* et *Quelle heure est-il ?* • Le verbe *partir* au présent		• La prononciation de *deux, six, huit, neuf* et *dix* • L'opposition [s] et [z]	• Comprendre une fiche horaire de train
• Le verbe *faire* au présent • L'interrogation avec *est-ce que, qu'est-ce que, quand est-ce que, où est-ce que* • Le genre des noms		• Les trois voyelles nasales	• Transmettre un message à partir de notes
• Les verbes *lire* et *écrire* au présent • Les verbes pronominaux au singulier • *Le dimanche, dimanche prochain*		• La prononciation du [ʀ]	• Parler de ses activités
			• Présenter l'emploi du temps d'une personne
• L'article partitif *du, de la, de l', des* • Les verbes *boire, acheter* et *manger* au présent		• Les trois voyelles centrales [œ], [ɔ] et [ø]	• Décrire les habitudes alimentaires de son pays
• Le passé composé avec l'auxiliaire *avoir* • La formation du participe passé • L'accord de l'adjectif *beau*		• La mise en relief : l'accent d'insistance	• Parler d'événements passés
• Le passé composé avec l'auxiliaire *être* • Des indicateurs de temps		• Les groupes rythmiques, les liaisons et les enchaînements	• Parler d'événements passés (un week-end)
			• Raconter un souvenir de fête

Tableau des contenus

UNITÉS	CONTENUS SOCIOCULTURELS	LEÇONS	OBJECTIFS COMMUNICATIFS
Unité 6 **On ne peut pas plaire à tout le monde !**	• Les comportements rituels • Le monde du travail (petites annonces, guide de l'ANPE)	**Leçon 21** **Qu'est-ce qu'on peut faire ?**	• Demander, donner et refuser une permission • Exprimer des interdictions
		Leçon 22 **Petites annonces**	• Exprimer la possibilité, le savoir-faire, la volonté • Exprimer l'obligation
		Leçon 23 **Qu'est-ce qu'on lui offre ?**	• Faire des propositions • Accepter une proposition • Refuser une proposition
		Leçon 24 **Être le candidat idéal**	• Demander, donner et refuser une permission • Exprimer des interdictions
ÉVALUATION 2			
Unité 7 **Un peu, beaucoup, passionnément…**	• Le cadre de vie, les loisirs et les vacances	**Leçon 25** **Enquête dans la rue**	• Exprimer des goûts et des préférences • Exprimer la fréquence ou l'intensité
		Leçon 26 **Tous à la campagne**	• Demander et exprimer une opinion • Exprimer une contestation
		Leçon 27 **Les vacances, c'est sacré !**	• Exprimer des goûts • Donner des conseils
		Leçon 28 **Les Français et les vacances**	• Exprimer des goûts et des préférences
Unité 8 **Tout le monde en a parlé !**	• Les rapports socioculturels • Les symboles de la France	**Leçon 29** **Souvenirs, souvenirs**	• Rapporter un événement récent • Rapporter des états passés • Rapporter des habitudes passées
		Leçon 30 **Fait divers**	• Rapporter des événements passés • Décrire les circonstances de l'action • Rapporter des états d'esprit passés
		Leçon 31 **Ma première histoire d'amour**	• Situer des événements dans le temps • Exprimer le but
		Leçon 32 **La 2CV… et autres symboles !**	• Situer des événements dans le temps
Unité 9 **On verra bien !**	• L'avenir • Les projets	**Leçon 33** **Beau fixe**	• Exprimer une prévision • Exprimer une probabilité • Exprimer une certitude
		Leçon 34 **Projets d'avenir**	• Faire des projets, exprimer une intention • Situer dans le temps
		Leçon 35 **Envie de changement**	• Exprimer une condition • Faire des projets, exprimer une intention
		Leçon 36 **Un jour peut-être…**	• Faire des projets, exprimer une intention
ÉVALUATION 3			

OBJECTIFS LINGUISTIQUES	PHONÉTIQUE	SAVOIR-FAIRE
• Le verbe *pouvoir* • La négation de l'impératif • Les pronoms COI après l'impératif affirmatif	• L'opposition [ʃ] et [ʒ]	• Permettre ou interdire quelque chose
• Les verbes *vouloir* et *savoir* au présent • *Il faut* + infinitif	• Les semi-voyelles [ɥ] et [w]	• Se présenter dans un cadre professionnel
• Les verbes *connaître* et *offrir* au présent • Les pronoms COD *le, la, l', les* • Les pronoms COI *lui, leur*	• Le *e* caduc	• Accepter et refuser une proposition
		• Conseiller quelqu'un
• Les pronoms *en* et *ça* • La négation : *ne… plus*	• Le *e* caduc entre deux consonnes	• Parler de ses loisirs
• Interroger sur la cause : *Pourquoi… ? Parce que…* • *Trop/Assez* + adjectif, *trop de/assez de* + nom • *Tout/toute, tous/toutes*	• L'opposition des termes par l'intonation	• Donner son opinion
• Les verbes pronominaux au présent et au passé composé • La place du pronom à l'impératif avec un verbe pronominal	• L'alternance [ɛ] et [ə] dans quelques verbes	• Parler de ses vacances
		• Décrire des habitudes de vacances
• Le passé récent : *venir de* + infinitif • La formation de l'imparfait	• L'opposition consonnes sourdes et sonores	• Parler de ses souvenirs d'enfance
• Le passé composé, l'imparfait et leur emploi • Contraster les emplois du passé composé et de l'imparfait	• L'opposition des consonnes [f] et [v] • L'opposition des sons [ʃ] et [ʒ]	• Parler d'un fait divers
• La date • Le but : *pour* + infinitif • Les participes passés	• L'opposition [i], [y] et [u]	• Raconter une première expérience
		• Identifier les symboles de la France
• Le futur simple	• Les consonnes doubles	• Parler du temps qu'il fera
• L'expression du futur : présent, futur proche, futur simple • Des indications de temps au futur	• Consonne + [ʀ]	• Évoquer des projets
• La condition/L'hypothèse : *si* + présent, futur • Le moment : *quand* + futur • Autres verbes irréguliers au futur	• Les voyelles arrondies	• Évoquer des projets
		• Parler de l'avenir

❶ Les mots.

1 Observez les magazines ci-contre. Quels mots comprenez-vous ?

2 Connaissez-vous d'autres mots en français ?

❷ Les nombres.

Écoutez et répétez les nombres de 1 à 20.

1 un	**2** deux	**3** trois	**4** quatre	**5** cinq	**6** six	**7** sept	**8** huit	**9** neuf	**10** dix
11 onze	**12** douze	**13** treize	**14** quatorze	**15** quinze	**16** seize	**17** dix-sept	**18** dix-huit	**19** dix-neuf	**20** vingt

21 vingt et un	**22** vingt-deux	**23** vingt-trois	**30** trente	**31** trente et un	**32** trente-deux
40 quarante	**50** cinquante	**60** soixante	**70** soixante-dix	**71** soixante et onze	**72** soixante-douze
80 quatre-vingts	**81** quatre-vingt-un	**82** quatre-vingt-deux	**90** quatre-vingt-dix	**91** quatre-vingt-onze	**92** quatre-vingt-douze

100 cent	**101** cent un	**200** deux cents	**1000** mille

❸ Les lettres.

A B C D E F G H I J K L M N O P Q R S T U V W X Y Z

À vous ! Épelez votre nom.

> Comment vous vous appelez ?

> Anne Morizot

> Vous pouvez épeler, s'il vous plaît ?

> Oui. M.O.R.I.Z.O.T.

Les phrases utiles

Je ne comprends pas. • Vous pouvez répéter, s'il vous plaît ? • Vous pouvez épeler ?

Unité 1 : En route !

Leçons	Objectifs communicatifs	Objectifs linguistiques	Savoir-faire
Leçon 1 Bienvenue !	• Saluer • Se présenter • Demander et dire le prénom et le nom	• Les verbes *être* et *s'appeler* au singulier du présent • Masculin et féminin • L'interrogation avec *qui*	• Saluer et se présenter
Leçon 2 Rencontre	• Identifier une personne	• Les articles définis au singulier : *le, la* • Masculin et féminin des noms et des adjectifs • *En/Au* + pays, *à* + ville	• Présenter une personne
Leçon 3 Ça va bien ?	• Demander des nouvelles d'une personne • Demander l'âge, l'adresse, le numéro de téléphone • Formes de politesse	• Les verbes *aller* et *avoir* au singulier du présent • Les adjectifs possessifs au singulier • Les articles indéfinis au singulier : *un/une* • L'adjectif interrogatif *quel/quelle*	• Parler de l'autre et s'informer
Leçon 4 Correspond@nce	• Se présenter • Parler de ses goûts		• Se présenter par écrit

Bienvenue !

1 – Bonjour.

– Bonjour, madame. Je suis monsieur Doré.

– Doré… Vous êtes monsieur Jacques Doré ?

– Non. Paul. Paul Doré.

2 – Bonjour, madame.
Je suis Aline Doré.

– Bonjour.
Je m'appelle Lucie Ferro.
Alberto, mon mari.

– Bonjour.

– Bonjour.

3 – Qui est-ce ?

– C'est Alberto Ferro.

– Alberto ? Il est italien ?

– Oui, et elle, c'est Lucie, elle est française.

·GRAMMAIRE·

> **Le verbe *être* au présent**
> *je **suis***
> *il/elle **est***
> *vous **êtes*** (*vous* de politesse)

> **Le verbe *s'appeler* au présent**
> *je m'appel**le***
> *il/elle s'appel**le***
> *vous vous appel**ez***

> **Masculin et féminin**
> ***Il** s'appelle Jacques.*
> ***Elle** s'appelle Aline.*
> ***Il** est français.*
> ***Elle** est française.*

> **L'interrogation avec *qui***
> **(pour une personne)**
> *– **Qui** est-ce ? – C'est Alberto.*

Découvrez

1 **Club Rêvéa.** 🎧

Écoutez et associez les dialogues aux trois dessins.

▶ **Saluer**
– Bonjour.
– Bonjour, Paul.
– Bonjour, madame Ferro.

▶ **Se présenter**
– Je suis Aline Doré.
– Je m'appelle Lucie Ferro.
– Je suis français(e).

▶ **Demander et dire le prénom et le nom**
– Qui est-ce ?
– C'est Alberto Ferro.
– Il/Elle s'appelle…

Communiquez

4 **Homme ou femme ?** 👓

Écoutez et dites si la phrase est au masculin ou au féminin.

5 **À vous !**

1 Saluez votre voisin(e) et présentez-vous.
– Bonjour. Je m'appelle … *(prénom)*. Je suis … *(nationalité)*. Et vous ?
– Je…

2 Montrez un(e) étudiant(e) et demandez à votre voisin(e).
– Qui est-ce ?
– C'est … ./Il/Elle s'appelle … *(prénom)*. Il/Elle est … *(nationalité)*.

Prononcez

6 **C'est une question ?** 👓

Écoutez et dites si c'est une affirmation ou une question.

Entraînez-vous

2 **Qui est-ce ?**

Complétez les phrases avec le verbe *être* et le pronom sujet *il*, *elle* ou *vous*.

1 – Vous … monsieur Diaz ?
– Oui, et vous, vous … Patrick Peret !
2 – … êtes française ? – Moi ? Oui, je … française.
3 – Madame Khalifa, elle … française ?
– Oui, … est française.
4 – Qui est-ce ? – C'… Laurent.
5 – Alberto, c'… mon mari. … est italien.

3 **Jeu.**

Trouvez le mot et complétez.

F ....   1 C'est Lucie F… .
D O R É   2 Il s'appelle Jacques D… .
A ......   3 Elle s'… Sonia.
N ..   4 Mon … ? Ferro.
.... Ç ....   5 Aline Doré est … .
. A ..   6 Lucie : « Alberto est mon … . »
.. I   7 … est-ce ?
... S   8 … êtes italien ?

Rencontre

ALEX : Qui est-ce ?

CARLOS : C'est Sandra, non ?

ALEX : Sandra ?

CARLOS : Oui, Sandra Schneider.
Elle est étudiante.

ALEX : Et elle est sympa ?

CARLOS : Oui. Elle est dans le cours
de français, elle est allemande.

ALEX : Et elle habite en France ?

CARLOS : Non, elle habite
à Lausanne, en Suisse.

· GRAMMAIRE ·

> **Les articles définis**
- ***Le* + nom masculin**
  le cours d'allemand
- ***La* + nom féminin**
  la dentiste de Marina
  ❗ Devant une voyelle, *le* et *la → l'*.
  l'étudiant(e) de français

> **Masculin et féminin des noms
et des adjectifs**
  le directeur/la directrice
  l'assistant/l'assistante
  Il est italien/Elle est italienne.
  Il est chinois/Elle est chinoise.
  ❗ Toujours au masculin : *le professeur*
  ❗ Masculin ou féminin :
  le/la secrétaire – Il est belge/Elle est belge.

> ***En/Au (à + le) + pays, à + ville***
  La France : J'habite en France.
  L'Italie : J'habite en Italie.
  Le Japon : J'habite au Japon.
  Paris, Tokyo : Il habite à Paris, à Tokyo.

Découvrez

① **À l'institut.**

1 Écoutez le premier dialogue et dites si
c'est vrai ou faux. 🎧
   a Elle s'appelle Sandra Schneider.
   b Elle est française.
   c Elle est professeur.
   d Elle habite en France.
   e Elle est sympa.

2 Regardez le badge et rejouez le dialogue 1.

NOM : ENEA
PRÉNOM : LUIGI
NATIONALITÉ : ITALIEN

3 Écoutez le deuxième dialogue et associez
les personnes aux professions. 🎧
   a M. Devaux   1 professeur
   b Émilie Constant   2 secrétaire
   c Pierre   3 assistante
   d Mme Moreno   4 étudiante
   e Anna   5 directeur

·FAÇONS DE DIRE·

▶ **Identifier une personne**
– Qui est-ce ? – C'est Carlos.
– Il/Elle s'appelle…
– Il/Elle est français(e).
– Il/Elle est photographe.
– Il/Elle est étudiant(e).
– Il/Elle habite à Paris, en France.

④ **Pays et nationalités.**

1 **Complétez les phrases avec *en* ou *au*.**

a Jun habite à Tokyo … Japon. (le Japon)
b François habite à Bruxelles … Belgique. (la Belgique)
c Carlos habite à Madrid … Espagne. (l'Espagne)
d Claudia habite à Vienne … Autriche. (l'Autriche)

2 **Mettez les phrases au masculin.**

a Satoko est japonaise. → Jun…
b Françoise est belge. → François…
c Clara est espagnole. → Carlos…
d Claudia est autrichienne. → Karl…

Entraînez-vous

② **Homme ou femme ?** 👓

Écoutez et dites si la phrase est au masculin ou au féminin.

③ **Cartes de visite.** 👓

Associez une carte de visite à un dialogue.

a
Francis Monge
dentiste
sur rendez-vous
téléphone : 01 47 52 40 36

b
Amélie Moulin
photographe
ameliem@wanadoo.fr

c
S T F
Lise Poirot
directrice commerciale
7, rue de la Liberté
1000 Bruxelles

Communiquez

⑤ **Au téléphone.** 👓

Écoutez et relevez le numéro du bureau et du poste téléphonique.

⑥ **À vous !**

Demandez à votre voisin(e)…
▶ *Exemple : Vous êtes professeur ?*
→ Non, je suis étudiant(e).
1 Vous êtes photographe ?
2 Vous êtes français(e) ?
3 Vous habitez en France ?
4 Vous êtes dans le cours d'italien ?

Prononcez

⑦ **Les syllabes.** 👓

Écoutez et lisez. Détachez les syllabes puis prononcez normalement.
1 Voi/là/le/bu/reau. Voilà le bureau.
2 Vou/sêtes/é/tu/dian/te. Vous êtes étudiante.
3 Vou/sêtes/Co/ra/lie ? Vous êtes Coralie ?
4 Je/suis/Mar/ti/na/mar. Je suis Martine Amar.

Ça va bien ?

LUCAS : Salut, Mathilde, tu vas bien ?

MATHILDE : Oui, ça va bien. Et toi ?

LUCAS : Je vais bien, merci…
J'habite à Bruxelles, maintenant.

MATHILDE : En Belgique ?

LUCAS : Oui, oui. En Belgique.

MATHILDE : Ah ! C'est bien. Et quelle est ton adresse ?

LUCAS : Alors, c'est : Lucas Faure…
15, rue de Namur… à Bruxelles.

MATHILDE : Et tu as une adresse e-mail ?

LUCAS : Oui, c'est : <u>lfaure@hotmail.com</u>.
Et toi, comment va ton ami espagnol ?

MATHILDE : Roberto ? Il va bien, merci.
Il parle français maintenant.

GRAMMAIRE

> **Les verbes *aller* et *avoir* au présent**

je **vais**	j'**ai**
tu **vas**	tu **as**
il/elle **va**	il/elle **a**
vous **allez**	vous **avez**

! Devant une voyelle, je → j' : j'ai.

> **Les adjectifs possessifs au singulier**
- **Mon, ton, son + nom masculin**
  mon *professeur*, **ton** *voisin*, **son** *garçon*
- **Ma, ta, sa + nom féminin**
  ma *fille*, **ta** *voisine*, **sa** *chambre*
- **Votre + nom masculin ou féminin**
  votre *ami(e)*

! On emploie *mon, ton, son* devant un nom
commençant par une voyelle : **mon** ami(e).

> **Les articles indéfinis au singulier**
  un *garçon*, **une** *fille*

> **L'adjectif interrogatif *quel/quelle***
  – **Quel** *est votre nom ?* – *Bricourt.*
  – **Quelle** *est ton adresse ?* – *1, rue du Four.*

Découvrez

1 Qui a la parole ?

1 Écoutez les deux dialogues et répondez.

Qui dit…	C'est…	À qui ?
Bonjour.	*Mme Lebon*	*à M. Legrand*
Salut.	*Lucas*	*à Mathilde*
Comment allez-vous ?	…	…
Tu vas bien ?	…	…
Et vous ?	…	…
Et toi ?	…	…
Et votre bébé ?	…	…
Comment va ton ami ?	…	…

2 À qui dites-vous…
– *bonjour/vous/votre…*
– *bonjour/salut/tu/toi/ton…*

3 Lisez et transformez le dialogue entre
Lucas et Mathilde. Utilisez le *vous* de
politesse. Jouez avec votre voisin(e).
Changez les noms.

▶ *Bonjour, madame Barraud, vous allez bien ?*

·FAÇONS DE DIRE·

▶ **Demander des nouvelles d'une personne**
• Forme polie : – Comment allez-vous ?
                – Ça va, merci. Et vous ?
• Forme familière : – Tu vas bien ? – Ça va. Et toi ?

▶ **Demander l'âge, l'adresse, le numéro de téléphone**
– Il a quel âge maintenant ?
– Quelle est ton adresse ?
– Quel est le numéro de téléphone de l'hôtel ?

▶ **Formes de politesse**
Merci – bonjour – au revoir – pardon –
s'il vous plaît – bonne nuit.

④ **Bingo !** 🔊

   1 Écoutez et répétez les nombres de 21 à 62.

   2 Écoutez et dites si le nombre est
      sur la grille ou non.

9	18	26	32	48	53	68
	14	21	35	41		60
2	10	29		43	57	

Entraînez-vous

② **Présentations.**

Complétez les questions avec *quel/quelle*
et associez les phrases.

1   … est votre nom ?
2 – … est votre âge ?
3 – … est votre adresse ?
4 – … est votre numéro de téléphone ?

a – J'habite 20, rue de Bourgogne, à Paris.
b – C'est le 01 26 32 41 60.
c – Je m'appelle Thurame.
d – J'ai 25 ans.

③ **Paroles.**

Complétez avec *un* ou *une*.

1 – C'est … photographe. Il est sympa. – Ah oui ?
2 – Vous avez … adresse à Paris ? – Non.
3 – Qui est-ce ? – C'est … étudiante.
4 – Jean a … ami. – Oui, et il parle espagnol.
5 – Annie a … amie. – C'est … Italienne.

Communiquez

⑤ **Ma clé, s'il vous plaît.** 🔊

Écoutez le dialogue. Notez le numéro de
la chambre et le numéro de téléphone
de l'hôtel.

⑥ **À vous !**

Demandez à votre voisin(e) son âge,
sa profession, son adresse… Demandez
comment il/elle va. Choisissez *tu* ou *vous*.

Prononcez

⑦ **L'accent tonique.** 🔊

Il est sur la dernière syllabe des groupes
de mots.

Écoutez les phrases et répétez.

▶ *Exemple : Paul Du**faut** // a une adresse e-**mail**.*

Correspond@nce

1 Salut ! Je m'appelle Azou. J'ai 29 ans. J'habite à Abidjan en Côte d'Ivoire. Je vais souvent au cinéma. Je cherche un correspondant en France ou au Canada. Mon e-mail : azou.abidjan@webzine.com

2 Je m'appelle Manu. J'ai 25 ans et j'habite à Bruxelles, en Belgique. Je suis étudiant. J'aime la lecture, la nature et la musique classique. Mon adresse e-mail est : manu.lago@webzine.com

3 Moi, c'est Caroline. Je suis québécoise. J'ai 18 ans et j'habite à Montréal. J'aime le sport : le volley-ball, le golf… Je cherche une amie en Europe. Mon adresse e-mail est : caro@webzine.net

Découvrez

1 Qui parle français dans le monde ?

1 Continuez l'exercice avec Manu, Caroline, Sandra et Michaël.

Azou parle français. Manu, Caroline, Sandra et Michaël aussi. Pourquoi ?
▶ *Exemple : Azou habite en Côte d'Ivoire, à Abidjan.*
  → *À Abidjan, un Ivoirien ou une Ivoirienne parle français.*

2 Regardez la carte p. 105 et répondez.

Qui parle aussi français dans le monde ?

2 Je cherche un(e) correspondant(e).

Lisez la double page *Correspond@nce* et trouvez un(e) correspondant(e) pour…

a Aïcha, 22 ans : elle habite au Maroc, à Rabat. Elle est étudiante en littérature.

b Sabine, 30 ans : elle habite en Suisse et elle est professeur de danse. Elle cherche une correspondante de 25 à 35 ans.

c Luc, 27 ans : il habite à Paris. Il aime le sport, le rap et le cinéma.

d Émilie, 20 ans : elle habite en Belgique. Elle est serveuse dans un bar. Elle aime le sport et la photographie.

4 Bonjour, je m'appelle Sandra et j'ai 31 ans. Je suis guyanaise : j'habite à Cayenne. Je suis secrétaire. Je cherche une correspondante de 30 à 40 ans. Je parle français, anglais et espagnol. J'aime beaucoup la danse. Mon adresse e-mail est :
sandra31@webzine.fr

5 Je m'appelle Michaël et j'habite en Suisse, à Lausanne. J'ai 22 ans. Je suis boulanger. J'aime la photo.
michael.barr@webzine.ch

De : luis.ortega@webzine.net
À : manu.lago@webzine.net
Objet :

Bonjour Manu,

Je m'appelle Luis et j'ai dix-neuf ans. J'habite en Colombie. Mon père est dentiste et ma mère est professeur. J'ai une sœur : elle s'appelle Paulina, elle a vingt-trois ans et elle est étudiante en France. Moi aussi, je suis étudiant, à Bogotá. J'aime beaucoup la lecture, le football et le rock (U2, Lenny Kravitz…). Je parle espagnol, anglais et français (un peu).
À bientôt !
Luis

Communiquez

③ Et vous ?

Manu aime la lecture, la nature et la musique classique. Caroline, le sport. Azou, le cinéma… Et vous ?

④ Votre e-mail en français.

Lisez l'e-mail. À la manière de Luis, écrivez un e-mail à un(e) correspondant(e).

BILAN

❶ Qui est-ce ?

Lisez la carte de visite et trouvez les questions et les réponses.

> **MARIE CADOR**
>
> **Dentiste**
>
> 25, rue du Bac – 67000 Strasbourg
> tél. : 03 21 32 10 01

1 … → Elle s'appelle Marie Cador.
2 Quelle est sa profession ? → …
3 … → …
4 … → …

❷ Entretien.

Complétez avec *être*, *avoir*, *s'appeler*
ou *habiter* et conjuguez les verbes.

– Quel … votre nom, s'il vous plaît ?
– Je … Patricia Germain.
– Et vous … quel âge ?
– J'… 23 ans.
– Vous … à Paris ?
– Non, j'… à Sarcelles.
– Vous … étudiante ?
– Non, je … serveuse dans un bar.
– Et votre ami ?
– Il … Marc, il … 36 ans, il … boulanger.

❸ C'est dans quel pays ?

Associez chaque ville à un pays. Faites
une phrase comme dans l'exemple.

▶ *Exemple : Rabat, c'est au Maroc.*

Bordeaux	Rabat	Montréal
la Pologne	le Japon	le Maroc
Varsovie	Vienne	Tokyo
le Brésil	l'Allemagne	la France
Munich	Dakar	São Paulo
le Sénégal	le Canada	l'Autriche

❹ De Strasbourg à Tokyo.

Indiquez la nationalité de chaque
personne.

▶ *Exemple : Marie habite à Strasbourg.*
→ Elle est française.

1 Markus habite à Berlin. *Il est … .*
2 Anna habite à Rome. *Elle est … .*
3 Luis habite à Barcelone. *Il est … .*
4 Erik habite à Bruxelles. *Il est … .*
5 Akiko habite à Tokyo. *Elle est … .*

❺ Informations.

Complétez avec *mon, ma, ton, ta, son, sa*
ou *votre*.

1 Oui, j'habite à Paris, maintenant. Tu as …
adresse ?
2 Lucie ? Elle est professeur de danse
et … mari est photographe.
3 Comment vas-tu ? Et … amie, elle va bien ?
4 Oui, oui, elle parle allemand ; … mère
est autrichienne.
5 Quel est … nom, madame, s'il vous plaît ?
6 J'ai 22 ans et … sœur Alice a 29 ans.

❻ Quel est son âge ?

Associez les phrases et dites quelles sont
les deux erreurs.

1 J'ai 18 ans et je m'appelle Cynthia.
2 Salut. Je m'appelle Miloud. J'ai 41 ans.
3 Je m'appelle Elisa. J'ai 53 ans.
4 Bonjour, je m'appelle Marianne et j'ai 32 ans.
5 Moi, c'est Pierre. J'ai 67 ans.
6 Bonjour. Moi, c'est Gil, 29 ans.

a Il a quarante et un ans.
b Elle a soixante-trois ans.
c Il a soixante-sept ans.
d Elle a dix-huit ans.
e Il a vingt-huit ans.
f Elle a trente-deux ans.

Unité 2 : À la découverte des objets

Leçons	Objectifs communicatifs	Objectifs linguistiques	Savoir-faire
Leçon 5 **Passe-temps**	• Nommer des objets • Montrer et situer des objets	• Le pluriel des articles et des noms • Le verbe *être* au pluriel du présent • Les prépositions de lieu • *Il y a* • L'interrogation avec *qu'est-ce que*	• Décrire une pièce et ses objets
Leçon 6 **Portrait-robot**	• Exprimer la possession • Indiquer les couleurs	• Les pronoms *moi, toi, lui, elle, vous* • Le verbe *avoir* au pluriel du présent • La négation : *ne… pas* • L'accord des adjectifs avec le nom • Les adjectifs possessifs au pluriel	• Décrire une personne avec ses vêtements
Leçon 7 **Boutique.net**	• Caractériser un objet • Demander et indiquer le prix	• L'adjectif interrogatif *quel(le)(s)* • L'interrogation avec *comment, combien* • Les démonstratifs *ce, cet, cette, ces*	• Passer une commande
Leçon 8 **Le coin des artistes**	• Montrer et situer des objets, des personnes		• Écrire un poème et jouer avec la langue

Passe-temps

l'affiche

la bouteille

les livres

l'étagère

le blouson

le verre

le chapeau

le chat

le téléphone

le fauteuil

le sac

– Bon, alors, c'est contre le mur sous l'affiche et…

– Le chapeau ?

– Non, c'est à gauche du chapeau.

– Il y a un blouson. C'est ça ?

– Oui, c'est ça. Bravo ! Bon, à toi maintenant.

– C'est… sur la table à côté de la bouteille.

– Le verre.

– Non, à droite de la bouteille, dans le vase.

– Les fleurs ?

– Oui.

– Bon, à moi…

GRAMMAIRE

> **Le pluriel des articles et des noms**
  - **Article indéfini :** *un/une → des*
    un chat → *des* chats
    une étagère → *des* étagères
  - **Article défini :** *le, la, l' → les*
    le livre → *les* livres
    la chaise → *les* chaises
    l' étagère → *les* étagères

> **Le verbe *être* au présent**
  Trois personnes du pluriel :
    nous **sommes**
    Vous **êtes** *trois.* (*vous* pluriel)
    ils/elles **sont**

> ***Il y a* est invariable.**
    Il y a un chat.
    Il y a des chats.

> **L'interrogation**
    Qu'est-ce que *c'est ?*
    Qu'est-ce qu' il y a dans la pièce ?

Découvrez

❶ À gauche ? À droite ?

1 Regardez le dessin ci-dessus et écoutez le dialogue.

2 Associez les mots et les dessins ci-dessous.
  a contre **c** sur **e** à droite (de) **g** à côté (de)
  b sous **d** dans **f** à gauche (de)

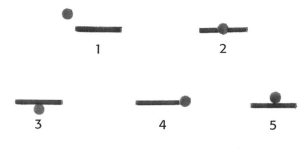

1   2   3   4   5

6   7

la photo

la fenêtre

les fleurs

le vase

la table   l'assiette

le mur

la chaise

·FAÇONS DE DIRE·

▶ **Nommer des objets**
– Qu'est-ce que c'est ?
– C'est une photo.
– Ce sont des photos.

▶ **Montrer et situer des objets**
– Qu'est-ce qu'il y a sur la table ?
– Il y a une bouteille sur la table. Il y a une assiette à côté de la bouteille.
– Les livres sont sur l'étagère.

③ Questions.

Complétez avec *un, une, des, le, la, l', les.*

1 – Qu'est-ce qu'il y a contre … mur ?
– Il y a … chapeau. C'est … chapeau de Martine.
2 – Qu'est-ce qu'il y a sur … étagère ?
– Ce sont … livres. Ce sont … livres de Pierre.
3 – Qu'est-ce qu'il y a sur … fauteuil ?
– … chat. C'est … chat de Michel.
4 – Qu'est-ce que c'est ? … photos ?
– Non, ce sont … affiches.
5 – Qu'est-ce qu'il y a dans … pièce ?
– Il y a … assiette, … chaises, … téléphone de Marie.

Entraînez-vous

② Qu'est-ce que c'est ?

1 À l'aide du dessin ci-dessus, trouvez l'objet. Répondez avec *un, une, des.*
▶ *Exemple : C'est sous la table, sur la chaise à gauche.*
→ *C'est un téléphone.*

a C'est à gauche de la fenêtre, au-dessus des fleurs. Ce sont…

b C'est contre le mur, sur les étagères. Ce sont…

c C'est sous la table, à droite. C'est…

d C'est entre le fauteuil et la chaise, sous l'affiche. C'est…

2 Continuez le jeu avec votre voisin(e).

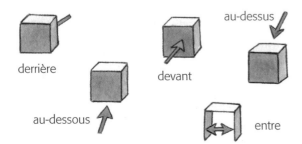

derrière

devant

au-dessus

au-dessous

entre

Communiquez

④ Au restaurant. 👥
Écoutez et dites où sont les personnes dans le restaurant.

⑤ À vous !
Dessinez une pièce avec des meubles et des objets. Décrivez la pièce à votre voisin(e). Il/Elle dessine la pièce. Puis, comparez les deux dessins.

Prononcez

⑥ Singulier ou pluriel ?

1 Écoutez et dites si vous entendez un singulier ou un pluriel. 👥

2 Transformez les phrases au pluriel. Qu'est-ce qui change dans la prononciation ? Qu'est-ce qui indique le pluriel ?

a Il y a une affiche au-dessus du fauteuil.

b Le fauteuil est contre le mur.

c Le livre est sur l'étagère.

d La photo est sur le mur.

Portrait-robot

– Alors… Ils sont grands ? petits ?

– Il y a un homme, grand et… blond.
Oui, c'est ça, il est blond. L'autre homme,
il est petit et brun.

– D'accord. Est-ce qu'ils ont des lunettes ?

– Non, non, ils n'ont pas de lunettes.

– Et leurs vêtements ?

– L'homme blond porte un T-shirt blanc et
un pantalon noir… Non, bleu, un
pantalon bleu. C'est un jean. L'homme
brun, lui, il a un blouson.

– Quelle couleur ?

– La couleur de son blouson… noir… non
ce n'est pas noir… rouge… oui, rouge.

· GRAMMAIRE ·

> **Les pronoms *moi, toi, lui, elle, vous***
> *L'homme brun, **lui**, a un blouson.*
> *– À qui est la robe bleue ? À **vous** ?*
> *– Non, elle n'est pas à **moi**.*

> **Le verbe *avoir* au présent**
> Trois personnes du pluriel :
> *nous **avons***
> *vous **avez***
> *ils/elles **ont***

> **La négation : *ne… pas***
> En général :
> *Ce **ne** sont **pas** leurs chaussures.*
> Avec *un, une, des* :
> *Il **n**'a pas **de** lunettes.*

> **L'accord des adjectifs avec le nom**
> *Il porte des chaussures noires.*

> **Les adjectifs possessifs au pluriel**
> *mes, tes, ses, nos, vos, leurs*

Découvrez

❶ Ils sont grands ? petits ?

1 Écoutez le dialogue. Identifiez les deux
hommes parmi les cinq portraits.

2 Écoutez les descriptions. Associez les
descriptions aux portraits.

Entraînez-vous

❷ Descriptions.

Choisissez la bonne réponse.

1 La femme a une robe…
  a vert.   **b** verte.

2 L'homme et la femme ont des chaussures…
  a noirs.   **b** noires.

3 La femme n'a pas de baskets…
  a blancs.   **b** blanches.

4 L'homme et la femme sont…
  a petits.   **b** petites.

5 L'homme porte une chemise…
  a bleue.   **b** bleu.

– Autre chose ?

– Oui, sa chemise est verte.

– Et ses chaussures ?

– Ah ! ce sont des baskets.

·FAÇONS DE DIRE·

▶ **Exprimer la possession**
– À qui est le T-shirt rouge ? À Patrick ?
– Oui, il est à lui.
– La couleur de son blouson ? Il est rouge.
– Ses chaussures sont noires.
– Ils ont des lunettes ?
– Non, ils n'ont pas de lunettes.

▶ **Indiquer les couleurs**
– Quelle est la couleur de la robe ?
– Elle est rouge.

⑤ **À qui sont les vêtements ?**
Répondez aux questions.

▶ *Exemple : Ils ont un blouson ?*
  › *Non, ils n'ont pas de blouson.*

1 Tu as son T-shirt vert ?
2 Vous avez des chaussures noires ?
3 Elle porte une robe ?
4 Ils ont une chemise bleue ?

5 Vous avez ses baskets ?

③ **Qu'est-ce que vous portez ?**
Posez une question à votre voisin(e).
Il/Elle répond et pose une autre question.

▶ *Exemple : Moi, j'ai une chemise verte.*
  Et toi ? Et vous ?
  › *Moi, je n'ai pas de chemise verte, mais*
  j'ai un T-shirt rouge. Et lui ? Et elle ?

④ **À qui est-ce ?**
Associez les phrases.

1 – À qui est la robe bleue ? À vous ?
2 – Il a des chaussures noires ?
3 – Il porte des lunettes ? Oui ou non ?
4 – À qui est le T-shirt rouge ? À Patrick ?
5 – Ce sont mes baskets !

a – Non, il ne porte pas de lunettes.
b – Non, elles sont blanches.
c – Mais non, ce ne sont pas tes baskets !
d – Non, elle n'est pas à moi.
e – Oui, c'est à lui.

Communiquez

⑥ **Devinettes.**
Décrivez une personne de la classe à votre
voisin(e). Votre voisin(e) devine qui c'est.

Prononcez

⑦ **La liaison en [z].**
Écoutez, puis prononcez. Faites bien les
liaisons en [z].

1 Ils‿ont des‿affiches.
2 Vous‿avez des‿étagères.
3 Nous‿avons des‿amis.

LEÇON 7

Boutique.net

– Comment est-ce que tu trouves ce pantalon ?

– Ah ! oui. J'aime bien ce type de pantalon, c'est très joli !… Il y a quelles couleurs ?

– Alors, il y a blanc, gris ou noir.

– Et le gris, il coûte combien ?

– 59 €.

– Ah ! oui. Ce n'est pas cher ! Bon, alors… un pantalon gris… Quelle est sa référence ?

– Le pantalon gris, c'est P 19 54.

– D'accord… Ah ! oui. Ma taille, c'est 36.

– Et ce pull ? Il est joli aussi.

– Le bleu à 35 € ? Oui, j'aime bien cette couleur !… Il y a la taille 38 ?

– Oui, mais en 38, le pull est à 39 €.

– Bon, alors…
Un pull blanc et bleu, taille 38…
La référence ?

– C'est P 17 56.

– C'est parti !

·GRAMMAIRE·

> **L'adjectif interrogatif** *quel(s)*, *quelle(s)*
> *Il y a* **quelles** *couleurs ?*
> **Quels** *vêtements est-ce que tu portes ?*

> **L'interrogation**
> • **Comment ?**
>   *Comment est-ce que tu trouves ce pantalon ?*
>   *Elle est* **comment**, *cette robe ?*
> • **Combien ?**
>   *Et il coûte* **combien** ?

> **Les démonstratifs** *ce, cet, cette, ces*
>   • *Ce* + nom masculin : *ce pull*
>   • *Cette* + nom féminin : *cette robe*
>   • *Ces* + nom pluriel : *ces chaussures*
> ! Devant une voyelle ou la lettre *h*,
> *ce* devient *cet* :
> *cet objet*, *cet hôtel*

Découvrez

➊ **Le bon de commande.**
Écoutez le dialogue et complétez le bon de commande suivant.

NOM	Couleur	Références	Taille	Quantité	Prix
Pantalon		P 19 54		1	59 €
		P 17 56		1	

·FAÇONS DE DIRE·

▶ **Caractériser un objet**
- C'est un pull bleu. Il est très joli.
- Ce sac est très grand.
- Ce n'est pas cher.

▶ **Demander et indiquer le prix**
- Il coûte combien ?
- 59 €.
- Quel est le prix de cette robe ?
- Elle coûte 275 €.

Communiquez

⑤ **Quel est le prix ?**

Écoutez et indiquez le prix des objets du site Boutique.net.

⑥ **À vous !**

Avec votre voisin(e), regardez la page du catalogue Boutique.net et passez votre commande. Jouez la scène.

Prononcez

⑦ **Les liens entre les mots.**

Écoutez l'enregistrement et marquez les liens entre les mots. Puis répétez les phrases.

▶ *Exemple : C'est‿un‿objet ?*

1 Tu as un ami français ?
2 Cet objet est très beau !
3 Son amie a une affiche.
4 Cette étagère est grande ?
5 Elle a un petit ami.

Entraînez-vous

② **Chacun ses goûts.**

Complétez avec *ce*, *cette* ou *ces*.

1 J'aime bien la couleur de … chaussures.
2 Et … pantalon bleu. Il est cher, non ?
3 … sacs sont très grands.
4 … robe est très jolie, j'aime beaucoup !
5 Comment est-ce que vous trouvez … lunettes ?

③ **Ils sont comment ?**

Trouvez la question.

▶ *Exemple : Elle est rouge.*
→ *Elle est comment ta chemise ?*
Quelle est la couleur de ta chemise ?

1 42.
2 125 €.
3 J'aime beaucoup.
4 Il est grand.
5 A 212 et A 214.

④ **De 70 à 1 000.**

Écoutez et répétez les nombres.

Le coin des artistes

Toulouse-Lautrec, *À la mie*, 1891, Boston Museum of Fine Arts.

Découvrez

① ***À la mie* de Toulouse-Lautrec.**

Décrivez la peinture.

② **Quel tableau ?**

Associez chaque texte à une des trois peintures.

1. La femme est au centre de la peinture et l'homme est à côté d'elle, à droite : il porte des vêtements noirs. Elle, elle porte un chapeau. Sur la table, il y a deux verres. Derrière l'homme et la femme, il y a un miroir.
C'est la peinture de…

2. L'homme et la femme sont sur des chaises. L'homme porte un chapeau et un pantalon gris. Sur la table, il y a deux verres, une bouteille, une assiette et un couteau.
C'est la peinture de…

③ **Mais qui sont-ils ?**

Lisez plusieurs fois le texte ci-contre et complétez le tableau ci-dessous.

Nom	…	…	…	…	…
Profession	…	…	…	*sculpteur*	…

EDGAR DEGAS, *Dans un café ou L'Absinthe*, 1875-1876, Paris, musée d'Orsay.

HENRI MATISSE, *Grand Intérieur rouge*, 1948, musée national d'Art moderne, Centre Pompidou-CCI, Paris. © succession H. Matisse 2002.

Le poète est entre Henri Matisse et Camille Claudel.

Claude Debussy est à droite dans le tableau.

Le sculpteur est une femme.

Colette est à gauche du peintre.

Le poète est à gauche du sculpteur et à droite du peintre.

À côté de Claude Debussy, il y a le sculpteur.

Le peintre est à côté de l'écrivain.

L'écrivain est à gauche dans le tableau.

Guillaume Apollinaire n'est pas le musicien.

Communiquez

④ Et encore ?
Connaissez-vous d'autres artistes français ? Quels artistes ?

⑤ Poème.
Lisez ce poème. À la manière de Jacques Prévert, imaginez un poème à partir d'une des peintures ci-dessus.

❚ Une orange sur la table
❚ Ta robe sur le tapis
❚ Et toi dans mon lit [...]

❚ Jacques Prévert, « Alicante », *Paroles*, © Gallimard.

1 **Du singulier au pluriel.**

Mettez toute la phrase au pluriel.

1 Tu as une sœur ?
2 Le chat ? Il est sur la chaise.
3 Oui, j'ai un sac noir.
4 Je suis étudiante à Paris.
5 Il a le livre de Julie.
6 Tu es italien ?

2 **Le mot mystérieux.**

Complétez la grille et trouvez le mot mystérieux.

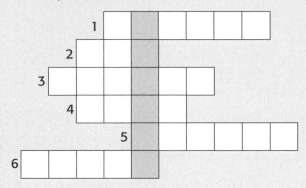

1 La table est … le mur.
2 Les livres sont … l'étagère.
3 Le chat est … la fenêtre.
4 Les photos sont … mon sac.
5 Le fauteuil est à … de la porte et la chaise à droite.
6 La chaise est … la fenêtre et les étagères.

3 **C'est non !**

Répondez négativement.

1 Vous avez des photos de votre bébé ?
2 Tu aimes ce pantalon ?
3 Vous avez le sac de Marie-Claire ?
4 Il porte une chemise blanche ?
5 Les clés sont sur la table ?
6 Tu as son numéro de téléphone ?

4 **Le mot de la fin.**

Terminez chaque phrase par un adjectif de la liste.

1 Je n'aime pas les vêtements…
2 C'est une femme…
3 Il porte une chemise…
4 Nous avons un chat…
5 Il porte des lunettes et il est…
6 Ces photos sont…

a bleue.
b jolies.
c noirs.
d grand.
e blanc et gris.
f blonde.

5 **Conversations.**

Complétez les phrases avec *mes, tes, ses, nos, vos, leur*.

1 – Ils habitent à Paris maintenant ! Tu as … adresse ?
2 – … frères sont bruns et moi je suis blonde.
– Ah bon ! Et … sœurs ? Elles sont brunes ou blondes ?
3 – Elle porte un pantalon noir et … chaussures sont blanches.
4 – Madame ! Madame ! … lunettes ! Elles sont ici.
– Oh ! merci Monsieur.
5 – Vous avez des enfants ?
– Oui, nous avons trois enfants : notre fille habite à Paris et … garçons sont étudiants à Bordeaux.

6 **Quelle est la question ?**

Trouvez les questions.

1 Sur la photo, il y a Jacques et Mickaël.
2 Elle est grande et brune.
3 Blanc ou noir.
4 395 €.
5 C'est un livre.
6 Il porte un jean et un T-shirt blanc.

Unité 3 : Où vivent les Français ?

Leçons	Objectifs communicatifs	Objectifs linguistiques	Savoir-faire
Leçon 9 **Appartement à louer**	• Situer un lieu sur un plan • S'informer sur un lieu	• Les pronoms forts au pluriel *nous*, *vous*, *eux*, *elles* • Les prépositions • L'interrogation avec *où*	• Comprendre une petite annonce immobilière
Leçon 10 **Pour aller au Louvre ?**	• Demander son chemin • Indiquer la direction • Indiquer le moyen de transport	• L'impératif • Le verbe *prendre* au présent • Les prépositions • L'adverbe *y*	• Demander et indiquer le chemin
Leçon 11 **Voyages, voyages**	• Situer un lieu sur une carte • Donner un conseil	• *C'est* + lieu, *c'est* + article + nom, *c'est* + adjectif • Les prépositions de lieu • *On*	• Présenter un circuit de deux jours
Leçon 12 **Week-end à la mer**	• Situer un lieu sur une carte • Indiquer la direction		• Écrire une carte postale à un(e) ami(e)

Appartement à louer

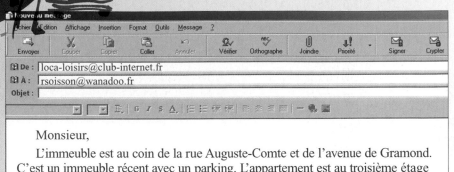

De : loca-loisirs@club-internet.fr
À : rsoisson@wanadoo.fr
Objet :

Monsieur,

L'immeuble est au coin de la rue Auguste-Comte et de l'avenue de Gramond. C'est un immeuble récent avec un parking. L'appartement est au troisième étage avec ascenseur.

La cuisine est à gauche de l'entrée.

En face de la cuisine, vous avez les toilettes et une salle de bains avec une douche. La chambre est au bout du couloir, à droite : il y a un lit et un bureau avec une chaise.

À gauche du couloir, il y a le séjour. C'est calme. Vous avez deux placards dans l'appartement.

Meilleures salutations.

Alain Dauger
Responsable de l'agence Loca-loisirs

Tours, près du centre, 2 pièces, 68 m², 3e étg., ascenseur, séjour, chbre, cuis., sdb, imm. récent, park. Clair, calme. 550 € / mois. Loca-loisirs, 28, avenue de Gramond – TOURS – 02 47 05 60 70 – loca-loisirs@club-internet.fr

Tours centre, 3 P. 50 m², séjour, cuisine,

GRAMMAIRE

> **Les pronoms forts au pluriel *nous, vous, eux, elles***
>
> *Oui, c'est ça, à côté de chez **vous**.*
> ***Eux**, ils ont un appartement récent.*

> **Les prépositions**
>
> • **Prépositions de lieu :** *en face de, contre, chez, au bout de…*
> **En face de** *la cuisine, vous avez les toilettes.*
>
> • **Autres prépositions :** *avec, pour…*
> *Je cherche un appartement **avec** deux chambres.*

> **L'interrogation avec *où***
>
> *Où sont les placards ?*

Découvrez

1 Petite annonce.

1 Lisez la petite annonce et l'e-mail de Loca-loisirs. Que signifient les mots suivants ?

a étg.   c cuis.   e imm.
b chbre   d sdb   f park.

2 Associez les dessins et les expressions.

a en face de   c au bout de
b au coin de   d près de

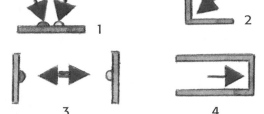

2 Où sont les pièces ?

Relisez l'e-mail et écoutez le dialogue. Retrouvez le nom de chaque pièce sur le plan.

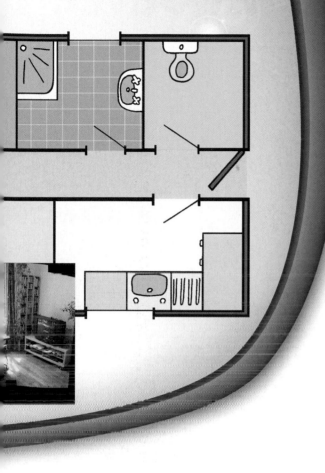

·FAÇONS DE DIRE·

▶ **Situer un lieu sur un plan**
   – La salle de bains est en face de la cuisine.
   – La chambre est au bout du couloir, à droite.
   – L'immeuble est au coin de la rue.

▶ **S'informer sur un lieu**
   – Où est l'appartement ?
   – Il y a une fenêtre dans la salle de bains ?

⑤ Comparaisons.

Répondez comme dans l'exemple.
Attention à l'accord de l'adjectif.

▶ *Exemple : Chez nous, le séjour est clair.*
   (M. et Mme Vidal)
   → *Chez eux, le séjour est sombre.*

1 Près de chez lui, il y a une rue calme. (vous)
2 Chez moi, l'ascenseur est ancien. (elles)
3 Chez vous, la cuisine est très grande. (moi)
4 Au-dessus de chez moi, le voisin est
   bruyant. (nous)
5 Chez eux, la chambre et le séjour sont
   sombres. (moi)

Communiquez

⑥ À vous !

Vous êtes dans une agence immobilière
et vous cherchez un appartement à louer.
À l'aide de l'annonce et du plan de l'appartement, jouez la scène avec votre voisin(e).

▶ – *Bonjour, je cherche un appartement à louer.*
   – *Où ?...*

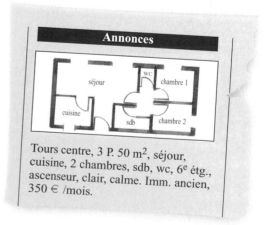

Annonces

Tours centre, 3 P. 50 m², séjour,
cuisine, 2 chambres, sdb, wc, 6e étg.,
ascenseur, clair, calme. Imm. ancien,
350 € /mois.

Entraînez-vous

❸ Du premier au dernier étage.

Continuez.

   – Quel étage, s'il vous plaît ?
   – Au rez-de-chaussée.
   – Au premier.
   – Au deuxième.
   – Au troisième…
   – Au …, au …, au … et au dernier étage !

❹ Les contraires.

Trouvez le contraire de chaque adjectif.

1 petit(e)   a ancien(ne)
2 calme   b bruyant(e)
3 récent(e)   c grand(e)
4 clair(e)   d sombre

Prononcez 👂

❼ Articulation tirée, articulation arrondie.

Écoutez et répétez.

LEÇON 10

Pour aller au Louvre ?

– Pardon, monsieur. Le musée du Louvre, c'est par où ?

– Oh ! là, là ! vous êtes loin. De la gare Montparnasse, il y a un bus…

– Ah ! non, non, j'y vais à pied.

– Bien. Alors, vous prenez la rue de Rennes, il y a une banque au coin.
Et là, vous allez tout droit. Passez devant la poste puis continuez tout droit.
Là, vous arrivez à Saint-Germain-des-Prés. Ça va ?

– Oui, oui.

– Bien, alors, ensuite vous prenez la rue Bonaparte, en face,
jusqu'à la Seine. Passez devant la fac à votre gauche.
Traversez la Seine sur le pont.
Et ensuite, vous arrivez
au Louvre. À gauche, c'est le jardin
des Tuileries. Tournez à droite :
entrez dans le musée sous la pyramide.

– Bien, pardon… le bus, c'est quel
numéro ?

– Le bus ? Le 95 ?

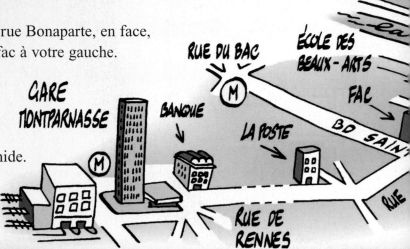

GRAMMAIRE

> **L'impératif**
Tourne à gauche.   Tournez à droite.
Va tout droit.   Allez au coin de la rue.
Prends le bus.   Prenez un taxi.

> **Le verbe *prendre* au présent**
Trois radicaux :

je **prends**   nous **pren**ons
tu prends   vous prenez
il/elle prend   ils/elles **prenn**ent

> **Les prépositions**
• *Au (à + le), à la, à l'* :
au musée, à la gare, à l'hôtel
• *Du (de + le)* :
le musée du Louvre
• *À et en* :
à pied, à vélo, à moto
en voiture, en bus, en taxi

> **L'adverbe *y* = à + lieu**
– Tu vas à la fac comment ?
– J'y vais en vélo.

Découvrez

1 **C'est par où ?**

1 Regardez le plan et repérez :

le pont, le jardin des Tuileries,
la gare Montparnasse, le musée du Louvre,
la rue de Rennes.
▶ *Sur le plan, le pont est entre la rue Bonaparte
et le musée du Louvre.*

2 Écoutez le dialogue et suivez le chemin
indiqué à l'aide du plan.

Entraînez-vous

2 **La bonne direction.**

Lisez le dialogue et reliez les mots.

1 Vous arrivez   a dans…
2 Vous prenez   b tout droit
3 Vous allez   c à…
4 Passez   d la Seine
5 Continuez   e devant…
6 Traversez   f la rue
7 Tournez   g au…
8 Entrez   h à droite

▶ **Demander son chemin**
  – Le musée du Louvre, c'est par où ?
  – Pour aller à la gare, s'il vous plaît ?
  – Pardon, madame, je cherche la poste.

▶ **Indiquer la direction**
  – C'est par là/au bout de la rue/à droite…
  – Allez tout droit./Vous allez tout droit.

▶ **Indiquer le moyen de transport**
  – Tu vas à la fac comment ? – J'y vais à moto…

Communiquez

⑤ **Quel est le moyen de transport ?**

1 Regardez les dessins et lisez les légendes.

2 En général, vous utilisez quel moyen de transport ?

3 Écoutez et dites où ils vont et comment ils y vont.

⑥ **Quel est le chemin ?**

Regardez le plan à nouveau et indiquez à votre voisin(e) comment aller : à la poste, au jardin des Tuileries, à l'hôtel des Arts, à la fac. Vous êtes au métro rue du Bac.

Prononcez

⑦ **Liaisons et enchaînements.**

1 Écoutez et notez les liaisons.

  vous + voyelle : *avez* → vous‿avez.

  a Vous êtes des étudiants. **b** Vous avez des affiches ? **c** Vous allez chez vos amis. **d** Elles ont des euros. **e** Ils entrent dans un hôtel.

2 Écoutez et notez les enchaînements.

  elle + voyelle : *a* → elle‿a.

  a Il est à l'hôtel. **d** Il entre à l'université.
  b Elle a un chat. **e** Elle habite au troisième étage.
  c Il y a un musée.

③ **Du *vous* au *tu*.**

Vous donnez ces indications à un(e) ami(e). Transformez comme dans l'exemple.

▶ *Exemple : passez* → *passe.*

▍ Prenez la rue devant la poste puis continuez
▍ tout droit. Allez jusqu'à la fac à votre gauche.
▍ Traversez la Seine sur le pont. Tournez à droite :
▍ entrez dans le musée sous la pyramide.

④ **Vous allez où ?**

Utilisez *y.*

▶ *Exemple : – Vous allez à la fac ?*
  → *– Oui, j'y vais.*

1 – Elle est dans le jardin ? – Oui, …
2 – Tu passes à la poste ? – Oui, …
3 – Il entre à la faculté ? – Oui, …
4 – Vous arrivez au Louvre ? – Oui, …
5 – Vous entrez dans ce musée ? – Oui, …

LEÇON 11

Voyages, voyages

– Bien, alors, le premier jour, vous arrivez à l'aéroport de Saint-Denis, à la Réunion… Et là, vous prenez un bus jusqu'à Saint-Paul, à l'ouest de l'île. Vous êtes à l'hôtel Neptune.

– Ah ! Et on est au bord de la mer ?

– Oui, oui, c'est un hôtel à côté de la plage et vous avez une chambre avec une terrasse en face de la mer.

– Et il y a une salle de bains dans la chambre ?

– Oui, bien sûr, monsieur : salle de bains, téléphone, air conditionné. Et, dans l'hôtel, vous avez une piscine, un bar et deux restaurants.

– Ah ! C'est parfait ! Et on visite l'île aussi ?

– Oui, vous visitez le centre de l'île en hélicoptère. Vous allez en bus à Saint-Pierre, au sud… et vous visitez Saint-Denis. C'est au nord de la Réunion… Ah ! bien sûr, allez aussi à Saint-Paul, à côté de votre hôtel… C'est très sympa !

·GRAMMAIRE·

> ***C'est* + lieu**
>> *C'est au nord de l'île.*

> ***C'est* + article + nom**
>> *C'est un hôtel au bord de la plage.*

> ***C'est* + adjectif**
>> *C'est parfait ! C'est sympa !*

> **Les prépositions de lieu**
>> *au centre de, au nord/sud de, à l'ouest/est de, au bord de…*
>>> *Nice est **au sud de** la France.*

> ***On***
>> *On = nous*
>>> ***On** est au bord de la mer.*
>> *On = les gens*
>>> *À la Réunion, **on** parle français.*

Découvrez

❶ C'est où ?

Observez la carte de la francophonie, p. 105, et situez l'île de la Réunion.

▶ *L'île de la Réunion, c'est à l'est de l'Afrique…*

❷ Une semaine à la Réunion.

1 Écoutez le dialogue et répondez aux questions suivantes. 🎧

   a Où sont les deux personnes : dans une agence de voyages, à la réception d'un hôtel ou à l'aéroport ?

   b Qu'est-ce qu'il y a à l'hôtel Neptune ?

   c Sur l'île, où se trouvent les villes suivantes : Saint-Denis, Saint-Paul et Saint-Pierre ?

2 Lisez le dialogue et choisissez la bonne réponse. Que signifie : ***On est** au bord de la mer (…) et **on visite** l'île aussi ?*

   a Nous sommes… et nous visitons…

   b Vous êtes… et vous visitez…

·FAÇONS DE DIRE·

▶ **Situer un lieu sur une carte**
– Où est Saint-Denis ?
– C'est au nord de l'île.

▶ **Donner un conseil**
– Allez à Saint-Paul, c'est très sympa !
– Et puis, visitez Saint-Denis.

④ **Où et comment ?**

Complétez les phrases avec *en, au sud de, sur, dans, au bord de, à, en face de*.

1 Nice est … la France, … la Méditerranée.
2 On visite la ville … pied ou … bus ?
3 La visite continue … la Seine, … bateau.
4 On est … un hôtel … la mer.
5 Ils vont … Marseille ce week-end.

Communiquez

⑤ **Quel hôtel choisir ?** 👓

Écoutez le dialogue et répondez aux questions.

1 Quelles différences est-ce qu'il y a entre le Marina et le Continental ?
2 Quel est le conseil de la personne de l'agence ? Pourquoi ?

⑥ **À vous !**

En groupes, présentez un circuit de deux jours dans une ville ou une région que vous connaissez bien (en France ou dans un autre pays).

Entraînez-vous

③ **Conseils.**

Associez les phrases.

1 Mais c'est loin, c'est au nord de la ville !
2 Je cherche un hôtel à Bordeaux.
3 Il n'y a pas l'air conditionné dans ma chambre !
4 On va à Paris ce week-end.

a Allez à Montmartre, c'est très sympa.
b Prends un taxi.
c Téléphone à la réception.
d Va au Concorde, c'est bien.

Prononcez

⑦ **Liaisons interdites.** 👓

Écoutez et répétez.

1 Nous allons // à la plage.
2 Vous êtes // à pied.
3 Vous allez // à l'hôtel ?
4 Vous avez // une chambre ?
5 Visitez // à pied.

Le restaurant
La télévision
Le bar
Le parking
La plage
Le téléphone
La salle de bains
La salle de sport
L'air conditionné
La piscine

Week-end à la mer

La Rochelle, la **belle** de l'Atlantique

POUR ALLER À LA ROCHELLE

- **En avion**
  Aéroport de La Rochelle-Laleu
  Tél. 33 (0) 803 805 805
  Destinations : Paris – Clermont-Ferrand – Londres

- **En bateau :** Port des Minimes
  Tél. 33 (0) 5 46 44 46 39

- **En voiture :** Paris (520 km) – Nantes (130 km)
  Bordeaux (170 km)

- **En train :**
  Gare de La Rochelle
  Tél. 33 (0) 892 35 35 35
  ou sur www.voyages-sncf.com
  TGV Paris-La Rochelle
  Trains Bordeaux-La Rochelle,
  Nantes-La Rochelle

À VISITER • À VISITER • À VISIT

- **Dans la ville**
  L'aquarium de La Rochelle
  Quai Louis-Prunier – 33 (0) 5 46 34 00 00
  Entrée : 11 € – de 0 à 3 ans : gratuit – étudiants : 8 €

  Les trois tours
  Visite de la tour de la Chaîne, de la tour
  Saint-Nicolas et de la tour de la Lanterne
  Entrée pour les trois tours : 9 €

  L'hôtel de ville
  Place de l'Hôtel-de-Ville – 33 (0) 5 46 51 51 51
  Les billets pour la visite sont à prendre
  à l'office de tourisme. 3 €

Découvrez

❶ La Rochelle, c'est où ?

1 Dites où se trouve la ville de La Rochelle.

2 Lisez le document et dites si c'est vrai
ou faux.

   a La Rochelle est à cent trente kilomètres de
    Nantes.

   b Il y a un pont entre La Rochelle et l'île d'Aix.

   c L'entrée à l'aquarium est de 5 € pour un bébé.

   d L'île de Ré et l'île d'Oléron sont près de
    La Rochelle.

   e L'entrée du musée des Beaux-Arts est au
    29, rue Gargoulleau.

   f Le Musée maritime est à côté de l'aquarium.

   g Il n'y a pas de visites de l'hôtel de ville.

❷ Devant l'hôtel de ville. 👓

Vous êtes devant l'hôtel de ville. Regardez
le plan de La Rochelle et écoutez.
Dites où vont les deux personnes.

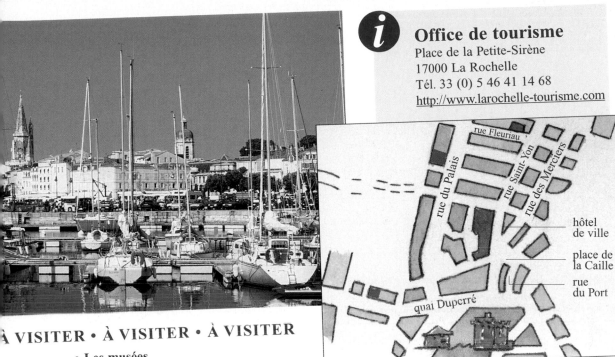

Office de tourisme
Place de la Petite-Sirène
17000 La Rochelle
Tél. 33 (0) 5 46 41 14 68
http://www.larochelle-tourisme.com

À VISITER • À VISITER • À VISITER

- **Les musées**

  Musée maritime
  Quai Louis-Prunier
  33 (0) 5 46 28 03 00
  Entrée . 7 €

  Musée des Beaux-Arts
  28, rue Gargoulleau
  33 (0) 5 46 41 64 65
  Entrée : 4 € – de 0 à 18 ans : gratuit

  Musée du Nouveau-Monde
  10, rue Fleuriau
  33 (0) 5 46 41 46 50
  Entrée : 4 €

AUTOUR DE LA ROCHELLE

- **Les îles**

  L'île de Ré : en bus, en voiture, à vélo ou en bateau.

  L'île d'Aix : en bateau.

  L'île d'Oléron :
  en bus, en voiture ou en bateau.

Communiquez

③ À l'office de tourisme.

Vous travaillez à l'office de tourisme de
La Rochelle. Répondez aux demandes
des touristes.

▶ *Exemple : Le Musée maritime, c'est loin d'ici ?*
  → Non, monsieur, c'est à côté de l'aquarium,
  pas loin de l'office de tourisme.

1 Les billets pour la visite de l'hôtel de ville,
  c'est ici ?

2 Pardon, madame/monsieur, l'île de Ré,
  on y va comment ?

3 C'est combien l'entrée de l'aquarium ?
  Je suis étudiant.

4 Bonjour, je vais à Bordeaux et je n'ai pas
  de voiture. Il y a un bus ?

④ Carte postale.

Lisez la carte postale ci-dessous. À la
manière de Mélina, écrivez une carte postale
de La Rochelle à un(e) ami(e).

> Cher Mathieu,
> Je suis à Strasbourg, dans l'est de la France. Cette
> ville est très jolie. J'habite dans le centre avec Elisa,
> une amie espagnole : elle va aussi à l'Institut avec moi.
> Nous avons un appartement de 50m², avec deux
> chambres : il est très bien. On va au cinéma, dans les
> bars... On visite aussi des musées : il y a le musée
> d'Art moderne. C'est très intéressant et c'est
> gratuit pour les étudiants ! Ce week-end, nous allons
> à Paris en train. Et toi, comment ça va ?
> A bientôt. Bises,
> Mélina

BILAN

❶ Mots croisés.

Lisez le dialogue et complétez la grille de mots croisés.

– Allô ! Bonjour madame. Je téléphone pour l'appartement. Il est comment, s'il vous plaît ?
– C'est un appartement dans un … (1) récent, rue Debussy. Il y a cinq … (2) : un séjour, deux chambres, une cuisine et une salle de bains. Les fenêtres sont au sud : il est très … (3).
– C'est à quel … (4) ?
– Au dernier. Mais il y a un … (5).
– D'accord. Et dans les chambres, il y a des … (6) ?
– Oui, monsieur.

❷ Orientations.

Choisissez la bonne réponse.

1 L'appartement est … la rue du Bac et de l'avenue Victor-Hugo, c'est ça ?
   a au bord de   **b** au coin de

2 La banque ? Elle est … la poste, là.
   a près de   **b** chez

3 Votre hôtel est … la mer, madame.
   a au bout de   **b** au bord de

4 Ce n'est pas loin, c'est … la rue !
   a chez   **b** au bout de

5 Prenez la rue … vous et tournez à droite.
   a en face de   **b** au nord de

6 Mais non, la ville est … l'île !
   a au bord de   **b** à l'est de

❸ C'est à vous ?

Répondez aux questions.

▶ *Exemple : – C'est ton T-shirt ? – Oui, il est à **moi**.*

1 – Les photos, elles sont à vous ? – Oui, …
2 – Ce sont les vêtements de Sophie et de Anne ? – Oui, …
3 – C'est mon blouson ? – Oui, …
4 – C'est le sac du directeur ? – Oui, …
5 – Ils sont à tes amis, ces livres ? – Oui, …

❹ Où est la poste ?

1 Complétez les dialogues avec les verbes *aller*, *passer*, *prendre* ou *traverser* à l'impératif.

   a – Pardon, monsieur, je cherche la poste, s'il vous plaît.
       – La poste ? Alors, … tout droit et … la première rue à gauche. Là, il y a un pont ; … le pont et … devant le musée d'Art moderne. La poste est à côté du musée.

   b – Paul, où est la poste, s'il te plaît ?
       – La poste ? Alors, … tout droit et … la première rue à gauche. Là, il y a un pont ; … le pont et … devant le musée d'Art moderne. La poste est à côté du musée.

2 Dites quelle est la différence entre les deux dialogues.

❺ Méli-mélo.

Mettez les mots dans l'ordre pour former une phrase.

1 ou – avion – y – en – train – on – va – en
2 est – hôtel – c' – au – un – de – plage – bord – la
3 rue – à – la – prenez – première – gauche
4 monsieur – le – Louvre – pardon – du – est – où – c' – musée
5 nous – avec – numéro – allons – y – bus – 12 – le

❶ Compréhension de l'oral

Format de l'épreuve : Réponse à des questionnaires de compréhension portant sur trois ou quatre très courts documents enregistrés ayant trait à des situations de la vie quotidienne. (deux écoutes)
– Durée maximale des documents : 3 minutes
– Durée de l'épreuve : 20 minutes environ

Vous allez entendre deux fois un document. Vous aurez 30 secondes de pause entre les deux écoutes puis 30 secondes pour vérifier vos réponses. Lisez les questions.
Répondez aux questions en cochant ☑ la bonne réponse ou en écrivant l'information demandée. 👓

• **Première personne :**

1. Comment s'appelle cette personne ?
   a Céline
   b Cécile
   c Cécilia

2. Quel âge a-t-elle ?

3. Elle est :
   a cinéaste.
   b étudiante.
   c danseuse professionnelle.

4. Elle habite :
   a à Rouen.
   b à Reims.
   c à Rennes.

• **Deuxième personne :**

1. Quel âge a Sylvain ?

2. Sylvain travaille comme boucher :
   a Vrai.
   b Faux.
   c On ne sait pas.

3. Dans quelle ville habite-t-il ?

4. Quel sport aime-t-il ?

• **Troisième personne :**

1. Comment s'appelle cette personne ?
   a Marie.
   b Maria.
   c Marine.

2. Elle habite :
   a dans l'est de la France.
   b dans l'ouest de la France.
   c dans le sud de la France.
   d dans le nord de la France.

3. Elle habite :
   a avec sa mère.
   b tout près de chez sa mère.
   c tout près de la mer.

❷ Production orale

Format de l'épreuve : 10 minutes de préparation suivi de 5 à 7 minutes de passation.

Cette épreuve comporte trois parties. Pour la deuxième et troisième partie, vous aurez 10 minutes de préparation.

Première partie – Entretien dirigé *(1 minute environ)*

> Vous répondez aux questions de l'examinateur sur vous-même, votre famille, vos goûts ou vos activités (exemples : comment vous vous appelez ?, quelle est votre nationalité ?...

Deuxième partie – Échange d'informations *(2 minutes environ)*

À partir des mots-clés, vous posez des questions à l'examinateur.

| Nom ? | Âge ? | Rouge ? | Jour ? | Ville ? | Suisse ? | Voiture ? | Enfants ? |

| Travail ? | Internet ? | Chaussures ? | Études ? | Musées ? | Bus ? | Sport ? |

| Cinéma ? | Vacances ? | Héros ? | Avenir ? | Poisson ? | Argent ? |

Troisième partie – Dialogue simulé ou jeu de rôle *(2 minutes environ)*

Vous voulez obtenir un bien ou un service (acheter un objet, passer une commande…). À partir des images que l'examinateur vous a remises, vous vous informez sur le(s) produit(s) et/ou les services, et le prix avant d'acheter. Pour payer vous disposez de pièces de monnaie et d'autres moyens de paiement. Vous montrerez que vous êtes capable d'utiliser les formules d'accueil, de congé et les formules de politesse de base. Si vous ne connaissez pas un mot, vous essayez trouver le moyen de faire comprendre ce que vous voulez. mettre le trait en orange

Au café

Unité 4 :
Au rythme du temps

Leçons	Objectifs communicatifs	Objectifs linguistiques	Savoir-faire
Leçon 13 **Vous partez quand ?**	• Demander et donner l'heure • Indiquer une date • Faire une demande polie	• L'interrogation avec *quand ?* et *Quelle heure est-il ?* • Le verbe *partir* au présent	• Comprendre une fiche horaire de train
Leçon 14 **À Genève**	• Demander la profession de quelqu'un • Demander des informations	• Le verbe *faire* au présent • L'interrogation avec *est-ce que, qu'est-ce que, quand est-ce que, où est-ce que* • Le genre des noms	• Transmettre un message à partir de notes
Leçon 15 **Le dimanche matin**	• S'informer sur une activité actuelle • S'informer sur une activité habituelle • Dire quel sport on fait	• Les verbes *lire* et *écrire* au présent • Les verbes pronominaux au singulier • *Le dimanche, dimanche prochain*	• Parler de ses activités
Leçon 16 **Une journée avec...**	• S'informer sur une activité habituelle		• Présenter l'emploi du temps d'une personne

Vous partez quand ?

LUNDI	14	SAMEDI	19
MARDI	15	DIMANCHE	20
MERCREDI	16		
JEUDI	17		
VENDREDI	18		

– Bonjour, monsieur, je voudrais
un aller Paris-Marseille, s'il vous plaît.

– Vous partez quand ?

– Mardi prochain.

– Le 15 ?

– Oui, c'est ça…

– Le matin ou l'après-midi ?

– Le matin.

– Alors… Il y a un train à 7 h 18…
un autre à 8 h 46… à 9 h 22…

– Le train de 7 h 18, s'il vous plaît.

– Ah ! Je suis désolé, monsieur.
Ce train est complet.

– Et le train de 8 h 46, il est complet ?

– Non, il y a de la place.

– C'est parfait.

– Un aller simple ou un aller-retour ?

– Un aller simple. En deuxième, non-fumeurs…

GRAMMAIRE

> **L'interrogation**

• **Quelle heure est-il ?**
  – *Il est huit heures cinq.*
  – *Le train part **à quelle heure** ?*

• **Quand ?**
  – *Vous partez **quand** ?*
  – *Mardi prochain.*

> **Le verbe *partir* au présent**
Deux radicaux :

*je **pars***	*nous **part**ons*
tu pars	*vous partez*
il/elle part	*ils/elles partent*

Découvrez

❶ **Quelle heure est-il ?** 🔊

Écoutez le dialogue et regardez le billet
de train. Trouvez les trois erreurs.

SNCF ═══				17/08/2002	
Départ	Paris gare de Lyon		**TGV** 6109		07 : 18
Arrivée	Marseille Saint-Charles				10 : 20
Classe	2e	fumeurs		**Tarif** 81,10 euros	

Entraînez-vous

❷ **Les pendules sont à l'heure ?**

1 Écoutez et répétez les heures. 🔊

a Il est midi et quart.

b Il est une heure moins le quart.

c Il est deux heures moins vingt.

d Il est onze heures et demie.

e Il est sept heures dix.

DEPARTS

·FAÇONS DE DIRE·

▶ **Demander et donner l'heure**
– Quelle heure est-il ?
– Il est cinq heures dix.
– Le train part à quelle heure ?
– Vous avez l'heure, s'il vous plaît ?
– Il est deux heures et demie.

▶ **Indiquer une date**
– Vous partez quand ?
– Mardi prochain./Le 15.

▶ **Faire une demande polie**
– Je voudrais un aller Paris-Marseille, s'il vous plaît.

Communiquez

④ **À la gare.** 👓

Écoutez et notez les informations.

	1	2	3
Destination			
Heure de départ			
Numéro de la voie			

⑤ **Quand est-ce que vous partez ?**

Vous prenez le train pour Nantes.
Demandez des renseignements à un(e)
employé(e).

Jouez la scène avec votre voisin(e).

Horaires des trains Paris-Nantes		
TGV 8903	Paris-Montparnasse : **07:00**	Nantes : **09:00** tlj
TGV 8909	Paris-Montparnasse : **09:00**	Nantes : **11:09** tlj
TGV 8163	Paris-Montparnasse : **10:00**	Nantes : **12:13** tlj
TGV 8823	Paris-Montparnasse : **12:00**	Nantes : **14:14** tlj
TGV 8179	Paris-Montparnasse : **17:00**	Nantes : **19:13** ven
TGV 8965	Paris-Montparnasse : **18:30**	Nantes : **20:33** tlj
TGV 8879	Paris-Montparnasse : **20:00**	Nantes : **22:09** dim

Tlj : tous les jours – dim : dimanche – ven : vendredi.

2 Associez les heures de l'exercice précédent
aux pendules suivantes.

③ **Vous avez l'heure, s'il vous plaît ?**
Dites l'heure.
▶ *Exemple :* 10 h 15 → *Il est 10 heures et quart.*

1 8 h 20   **2** 17 h 30   **3** 11 h 55
4 6 h 45   **5** Et maintenant, quelle heure est-il ?

Prononcez

⑥ **Attention aux chiffres !** 👓
Écoutez et répétez.

⑦ **Opposer [s] et [z].** 👓
Écoutez et répétez.

À Genève

– Mais, c'est Elsa !... Elsa, Elsa !

– Omar ! Oh ! ça ? Mais quelle surprise ! Comment vas-tu ?

– Bien, bien. Et toi, qu'est-ce que tu fais là ?

– Ben, tu vois, je travaille. Je suis responsable de l'accueil à l'office de tourisme… Et toi, qu'est-ce que tu fais dans la vie, maintenant ?

– Je suis informaticien.

– Ah ! oui, et où est-ce que tu travailles ?

– Je travaille à Paris mais j'habite à Vendôme. Et je prends le TGV pour aller travailler.

– Oh ! Tous les jours ?

– Non, je vais à Paris du lundi au mercredi seulement. Et le reste de la semaine, je travaille à la maison.

– Ah ! oui, et tu pars à quelle heure, le matin ?

GRAMMAIRE

> ### Le verbe *faire* au présent

je **fais**	nous **faisons**
tu **fais**	vous **faites**
il/elle **fait**	ils/elles **font**

! On prononce *nous* **faisons** : [fəzɔ̃].

> ### L'interrogation avec *est-ce que*

• **Sur toute la phrase**

*Tu travailles ?/**Est-ce que** tu travailles ?*

• **Sur un élément de la phrase**

*Tu pars en vacances ? → Tu fais **quoi** ?*
 ***Qu'est-ce que** tu fais ?*

*Tu y vas tous les jours ? → Tu y vas **quand** ?*
 ***Quand est-ce que** tu y vas ?*

*Tu travailles à Paris ? → Tu travailles **où** ?*
 ***Où est-ce que** tu travailles ?*

> ### Le genre des noms

	masculin	féminin
	photographe	photographe
-eur/-euse	serveur	serveuse
-teur/-trice	acteur	actrice
-ien/-ienne	informaticien	informaticienne

Découvrez

1 Par hasard… 👓

Écoutez le dialogue et répondez.

1 Quelle est la profession d'Elsa ?

2 Et Omar, qu'est-ce qu'il fait dans la vie ?

3 Où est-ce que Omar habite ?

4 Où est-ce qu'il travaille le mardi ? le jeudi ?

5 À quelle heure est-ce qu'il rentre, le soir, du lundi au mercredi ?

6 Qu'est-ce qu'il fait à Genève ?

Entraînez-vous

2 Curiosité.

Transformez la question avec *est-ce que*.

▶ *Exemple : Tu commences à quelle heure ?*
  *→ **À quelle heure est-ce que** tu commences ?*

1 Tu habites où ?

2 Vous arrivez quand ?

3 Vous faites quoi, maintenant ?

4 Comment tu vas ?

5 Ils partent à quelle heure ?

– Très tôt. À 6 h 30. Et je rentre tard le soir, vers 21 h, 21 h 30. Mais c'est seulement trois jours par semaine, ça va.

– Ah ! oui, et qu'est-ce que tu fais à Genève, alors ?

– Ah ! là, je suis en vacances.

·FAÇONS DE DIRE·

▶ **Demander la profession de quelqu'un**
– Qu'est-ce que tu fais/vous faites dans la vie ?
– Quelle est ta/votre profession ?

▶ **Demander des informations**
– Qu'est-ce que tu fais là ?
– Où est-ce que tu travailles ?
– Et tu pars à quelle heure, le matin ?

Communiquez

⑤ **À quelle heure ?** 👓

Écoutez et indiquez le jour et l'heure des deux rendez-vous.

⑥ **Rendez-vous.**

Indiquez à votre directeur/directrice ses rendez-vous. Jouez la scène avec votre voisin(e) : il/elle note les rendez-vous. Ensuite, comparez vos notes.

MARS
Lundi 18
15 h 00 Réunion avec le directeur commercial
Mardi 19
10 h 30 Rendez-vous à la banque avec M. Henry
13 h 00 Déjeuner avec M. Yamada (société Nikon)
Mercredi 20
8 h 30 Départ pour Lille, en TGV
10 h 30 Rendez-vous avec M. Mauzé (société BTB)
18 h 30 Départ de Lille pour Paris
20 h 00 Arrivée à Paris

③ **Qu'est-ce qu'ils font ?**

Imaginez la question.

1 À six heures.
2 Le vendredi soir.
3 Dans ma chambre.
4 En train.
5 Ils travaillent.

④ **Qu'est-ce que vous faites dans la vie ?**

Trouvez la profession correspondant à la définition.

▶ *Exemple : Je travaille dans un grand magasin.*
 → Un vendeur/une vendeuse.

1 Je travaille dans un bar.
2 Je joue de la guitare dans un groupe de rock.
3 Je travaille avec des ordinateurs.
4 Je fais des photos pour un journal.
5 Je fais du cinéma.

Prononcez

⑦ **Les trois voyelles nasales.** 👓

1 Écoutez et dites où est la voyelle nasale : dans le premier ou dans le deuxième mot ?

2 Écoutez et dites quel est le féminin du nom ou de l'adjectif : dans le premier ou dans le deuxième mot ?

Le dimanche matin

En général, qu'est-ce que vous faites le dimanche matin ?

1 Le dimanche matin, je fais le ménage ; après, je me lave et je m'habille. Ensuite, j'écoute de la musique, je lis ou j'écris à des amis.

3 Le dimanche matin ? Je fais d'abord un footing. Ensuite, je joue au foot ou au tennis avec des amis. Et l'après-midi, je me repose.

2 Ah ! ma femme et moi, nous prenons le petit déjeuner vers 9 heures. Après, on va au marché. À midi, nous déjeunons avec nos enfants, chez eux ou chez nous.

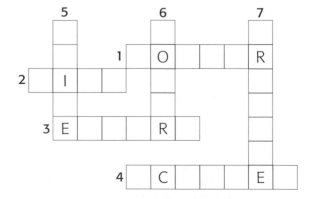

GRAMMAIRE

> **Les verbes *lire* et *écrire* au présent**
  Deux radicaux :

*je **lis***	*nous **lis**ons*
tu lis	*vous lisez*
il/elle lit	*ils/elles lisent*

*j'**écris***	*nous **écriv**ons*
tu écris	*vous écrivez*
il/elle écrit	*ils/elles écrivent*

> **Les verbes pronominaux au singulier**
  *Je **me lève** à midi.*
  *Tu **te reposes** ?*
  *Il/Elle **se lave**.*

> **Le dimanche ≠ dimanche (prochain)**
  Aussi : *le lundi, le mardi, etc.*

Découvrez

❶ Qui est-ce ?
Écoutez, lisez les témoignages et associez-les aux dessins ci-dessus.

❷ Mots croisés.
Retrouvez, dans cette grille, l'infinitif de sept verbes utilisés dans les interviews.

	5		6		7
1		O		R	
2	I				
3 E		R			
4		C		E	

4 Moi, tous les samedis soir, je vais en boîte et je rentre vers 5 ou 6 heures du matin. Alors, moi, le dimanche, je dors ! Et je me lève à midi.

5 Moi, je fais les courses. Et mon mari prépare les enfants et il joue avec eux. Ou alors on part pour la journée. Et on va souvent à la campagne.

· FAÇONS DE DIRE ·

▶ **S'informer sur une activité actuelle**
– Qu'est-ce que vous faites (maintenant) ?
– Je lis.

▶ **S'informer sur une activité habituelle**
– Qu'est-ce que vous faites le dimanche ?
– Je fais du sport.

▶ **Dire quel sport on fait**
– Quel sport est-ce que tu fais ?
– Je fais de la natation et du tennis.
– Qu'est-ce que vous faites comme sport ?
– Nous faisons du vélo.

⑤ **Ils font quel sport ?**

Associez les dessins ci-dessous et les mots et dites ce que font les personnages.

▶ *Exemple :* Le tennis. → Elles font du tennis.

1 Le ski.   4 La natation.
2 La moto.   5 Le vélo.
3 L'athlétisme.   6 La gymnastique.

Entraînez-vous

③ **Qu'est-ce qu'ils font ?**

Complétez avec des formes des verbes *faire*, *lire* et *écrire*.

1 – Qu'est-ce que tu … ?
  – Je … le journal et après j'… à des amis.
2 – Quand est-ce que vous … les courses ?
  – Le samedi matin, en général.
3 – Vous … souvent le journal ?
  – Tous les jours.
4 – Qu'est-ce que vous … ?
  – Une lettre. C'est pour Charlotte.
5 – Qu'est-ce que vous … le dimanche matin ?
  – Nous … le journal.

④ **Et toi ? Et elle ?**

Transformez ces phrases en utilisant *tu*, puis *elle*.

| Le dimanche matin, je me lève à 10 heures, je fais le ménage et après je me lave. L'après-midi, je me repose, puis je fais du tennis.

Communiquez

⑥ **Et vous ?**

Discutez avec votre voisin(e).

1 Qu'est-ce que vous faites comme sport ?
2 Qu'est-ce que vous faites le dimanche matin ? Et le dimanche après-midi ?
3 Que fait-on, en général, le week-end dans votre pays ?

Prononcez 〇〇

⑦ **Le [R] : final, entre deux voyelles ou initial.**

Écoutez et répétez.

Une journée avec MARY PIERCE

J e me lève vers 7 h 30 tous les matins. Je fais ma toilette et je prépare mes vêtements. Ensuite, je m'habille et je prends mon petit déjeuner : fruit, yaourt, céréales et jus d'orange. De 9 heures à 11 heures, je m'entraîne puis je vais déjeuner. À 15 heures, je retourne à l'entraînement. Je joue jusqu'à 17 heures.

Découvrez

① Qui est-ce ?

1 Connaissez-vous Mary Pierce ? Que fait-elle dans la vie ?

2 Dites si c'est vrai ou faux.

a Mary Pierce se lève à 7 h 30 exactement.
b D'abord, elle prend son petit déjeuner.
c L'après-midi, elle fait quatre heures de sport.
d Elle s'entraîne aussi le dimanche.
e Le soir, elle sort parfois avec des amis.
f Elle lit le soir dans son lit.
g La nuit, elle dort beaucoup.

② Quand ?

Relevez les indications de temps dans le texte et répondez.

Que fait Mary Pierce à ce moment-là ?
▶ *Elle se lève vers 7 h 30…*

③ Interview.

Imaginez les questions de la journaliste.

▶ *À quelle heure est-ce que vous vous levez le matin ?…*

Les petits TRUCS de MARY PIERCE

- Pour me détendre après un long voyage en avion, je fais un footing.
- Pour éviter le stress, entre deux matchs, je joue beaucoup aux cartes et au backgammon.

Au total, je fais trois à cinq heures de tennis par jour. Ensuite, je fais deux heures de musculation. Ma journée se termine vers 19 heures. Généralement, je rentre chez moi. Le samedi, je sors parfois avec des amis au restaurant. Le dimanche, je suis libre. Je dors jusqu'à midi. Je vais à la plage ou je me promène en bateau.

Le reste de la semaine, pas de folies ! Le soir, je regarde un tout petit peu la télé et j'appelle mes amis. Je m'endors tôt, vers 22 h 30 : je dors neuf à dix heures par nuit.

Elle/Laurence de Schuytter.

Communiquez

4 **Et vous ?**

Avez-vous, comme Mary Pierce, des « petits trucs » dans la vie :

1 pour vous détendre ?
2 pour éviter le stress ?

5 **Quel est son emploi du temps ?**

Posez des questions à votre voisin(e) sur son emploi du temps habituel.

6 **Une journée avec…**

À la manière de l'article ci-dessus, racontez la journée de votre voisin(e). Écrivez l'article en utilisant *je*.

▶ *Je me lève…*

BILAN

① **Quelle heure est-il ?**

Indiquez l'heure de deux façons différentes.

▶ *Exemple :* 18 h 15 → *Il est six heures et quart.*
→ *Il est dix-huit heures quinze.*

a 10 h 30
b 12 h 10
c 15 h 45
d 20 h 55
e 23 h 15

② **Enquête.**

Imaginez les questions du dialogue. Utilisez le *vous* de politesse.

1 Je travaille dans un bar.
2 Je commence toujours à 17 heures.
3 Vers 1 heure ou 2 heures du matin.
4 Oh ! généralement, je me lève vers 10 ou 11 heures.
5 Le week-end ? Je travaille. Eh oui !
6 Oui, je fais de la natation et du vélo.

③ **Tu fais quoi, le soir ?**

Complétez les phrases avec *écoutes*, *font*, *regarde*, *écris*, *fais* (deux fois), *joue*, *lis*, *faisons* (deux fois), *sors*, *fait*.

– Qu'est-ce que tu … le soir ? Tu … de la musique ?
– Ah non, moi, le soir, je … le journal ou j'… .
– Et ton frère et ta sœur, qu'est-ce qu'ils … ?
– Tony … de la natation le lundi soir et le mercredi soir. Et le mardi et le jeudi, il … au foot. Magali et moi, nous ne … pas de sport. Et toi ? Qu'est-ce que tu … ?
– Oh ! moi, je … parfois avec des amis. Ou je … la télé. Mais le mercredi soir, avec mon frère, nous … du vélo.

④ **Au travail !**

Indiquez deux professions en :

1 -eur/euse ;
2 -ien/ienne ;
3 -teur/trice.

⑤ **Le contraire.**

Trouvez le contraire.

▶ *Exemple :* commencer ≠ **terminer**.

1 un aller simple.
2 tôt.
3 fumeur.
4 un départ.
5 travailler.

⑥ **Méli-mélo.**

Mettez les mots dans l'ordre pour former une phrase.

1 heures – matin – et – je – lève – le – quart – me – six – à
2 repose – soir – et – de – il – musique – il – se – le – la – écoute
3 lave – elle – habille – et – elle – s' – se – ensuite
4 ce – le – promènes – te – week-end – est – tu – que
5 général – je – jour – deux – m' – en – trois –

Unité 5 :
La vie de tous les jours

Leçons	Objectifs communicatifs	Objectifs linguistiques	Savoir-faire
Leçon 17 Mardi gras	• Demander et exprimer des besoins • S'informer sur des habitudes • Indiquer des quantités	• L'article partitif *du*, *de la*, *de l'*, *des* • Les verbes *boire*, *acheter* et *manger* au présent	• Décrire les habitudes alimentaires de son pays
Leçon 18 Une bonne journée	• Rapporter des événements passés • Exprimer une opinion, faire des compliments	• Le passé composé avec l'auxiliaire *avoir* • La formation du participe passé • L'accord de l'adjectif *beau*	• Parler d'événements passés
Leçon 19 Où sont-ils allés ?	• Parler d'événements passés • Interroger sur la durée	• Le passé composé avec l'auxiliaire *être* • Des indicateurs de temps	• Parler d'événements passés (un week-end)
Leçon 20 Souvenirs de fête	• S'informer sur des habitudes		• Raconter un souvenir de fête

Mardi gras

ALICE ET CHLOÉ : Maman, maman…
C'est mardi gras. On fait des crêpes ?

LA MÈRE : D'accord ! Mais
vous faites les courses, alors.

ALICE ET CHLOÉ : Ouais !

LA MÈRE : Bon, Alice, tu écris…
Il faut de la farine, des œufs…

ALICE : Combien de kilos de farine ?

LA MÈRE : Un kilo… Et ensuite…
Ah ! oui, il faut du lait… Un litre
de lait et 250 grammes
de beurre…

· GRAMMAIRE ·

> **L'article partitif :**
de + le/la/l'/les = du, de la, de l', des
Il désigne une partie d'un ensemble.
> *un gâteau ≠ **du** gâteau (**un** morceau)*
> *Il faut **du** sucre et **de la** farine.*
> *Achète **de l'**eau et **des** œufs.*

! Avec la négation, *du, de la, de l', des* → *de, d'* :
– *Il y a **du** pain ?*
– *Non, il **n'**y a **pas de** pain.*
– *Tu bois **de l'**eau au petit déjeuner ?*
– *Non, je **ne** bois **pas d'**eau.*

> **Le verbe *boire* au présent**
Trois radicaux :

*je **bois***	*nous **buvons***
tu bois	*vous buvez*
il/elle boit	*ils/elles **boivent***

! Les verbes *acheter* et *manger* au présent

j'achète	*je mange*
nous achetons	*nous **mangeons***

Découvrez

1 **La liste de courses.**

1 Écoutez et relevez sur la liste les
courses que vous entendez.

2 Complétez la liste et indiquez
les quantités.

Entraînez-vous

2 **Au supermarché.**

Complétez avec un des trois mots proposés.

1 Prends du…
  a viande.   **b** poisson.   **c** pommes de terre.

2 Achète de la…
  a riz.   **b** confiture.   **c** légumes.

3 Prends aussi de l'…
  a pain.   **b** fromage.   **c** eau.

4 Donnez-moi des…
  a œufs.   **b** salade.   **c** vin.

5 Tu bois du…
  a beurre.   **b** lait.   **c** pain.

ALICE : C'est tout ?

CHLOÉ : Non, il faut aussi
du sucre et de la confiture.

LA MÈRE : Oui, prenez un kilo
de sucre et de la confiture.

ALICE : On prend du cidre ?

LA MÈRE : Ah ! non, pas de
cidre. Achetez une bouteille
de Coca et de l'eau minérale.

ALICE : C'est tout ?

LA MÈRE : Oui. Et prenez
20 euros dans mon
sac pour faire
les courses.

·FAÇONS DE DIRE·

▶ **Demander et exprimer des besoins**
– Qu'est-ce qu'il faut ?
– Il faut de la confiture…

▶ **S'informer sur des habitudes**
– Qu'est-ce que tu manges au petit déjeuner ?
– Je prends…
– Qu'est-ce que tu bois ?
– De l'eau, s'il te plaît.

▶ **Indiquer des quantités**
– Combien de kilos de farine ?
– Un kilo.
– Prends une bouteille d'eau minérale et un litre de lait.

④ **Non**…

Transformez comme dans l'exemple.

▶ *Exemple : Tu bois du Coca au déjeuner ?*
→ Non, je ne bois pas de Coca, je bois de l'eau.

1 Il y a de la salade avec la viande ?
2 Tu bois du thé au petit déjeuner ?
3 Vous mangez des légumes le soir ?
4 Vous buvez du vin avec le poisson ?
5 Tu prends du fromage le matin ?

Communiquez

⑤ **Qu'est-ce qu'on mange ?** 👄

Écoutez et faites la liste des courses.

⑥ **Qu'est-ce que vous prenez aux repas ?**

Demandez à votre voisin(e) ce qu'il/elle
boit et ce qu'il/elle mange, en général, à
chaque repas et quelles sont ses heures
de repas.

▶ *À quelle heure est-ce qu'on prend le petit*
déjeuner chez vous ?
Qu'est-ce qu'on mange au petit déjeuner ?…

> **En général, en France, on prend :**
> • **le petit déjeuner** entre 7 et 9 heures ;
> • **le déjeuner** entre midi et deux heures ;
> • **le dîner** entre 7 et 9 heures, le soir.

③ **Les habitudes.**

Répondez aux questions.

1 – Qu'est-ce que vous mangez au petit déjeuner ?
– Nous…
2 – Qu'est-ce que vous buvez le matin, du thé
ou du café ?
– Nous…
3 – Qu'est-ce que vous prenez au déjeuner ?
– Nous…
4 – Qu'est-ce que vous prenez au dîner ?
– Nous…

le riz

la viande   le poisson

une pomme de terre   le pain   le fromage

le vin

les légumes

la salade

Poids : un gramme – une livre (500 grammes)
un kilo (1 000 grammes)

Prononcez

⑦ **Opposer les voyelles [œ], [ɔ] et [œ], [ø].** 👄

Écoutez et répétez.

Une bonne journée

– Alors, Émilie, qu'est-ce que tu as fait hier ?

– Oh ! hier, j'ai fait les magasins.

– Ah ! oui ? Et qu'est-ce que tu as acheté ?

– Eh bien, j'ai acheté ces chaussures. Regarde, elles sont jolies, non ?

– Ah ! oui, elles sont très jolies ! J'aime bien. Et c'est tout ?

– Non, j'ai aussi pris un pull pour Julien.
  C'est son anniversaire.

– Ah bon ? Et il est comment, son pull ?

– Il est bleu et blanc. Et il est très chaud.

– Et après, qu'est-ce que tu as fait ?

– Après, avec Julien, nous avons
  dîné au Teatro Bettini, le petit restaurant
  italien à côté de chez nous.

– Et il est bien, ce restaurant ?

– Très bien. La cuisine est bonne.
  J'ai mangé une pizza et Julien

GRAMMAIRE

> **Le passé composé**
  En général, on le forme avec l'auxiliaire
  avoir + participe passé.

j'**ai** acheté	nous **avons** acheté
tu **as** acheté	vous **avez** acheté
il/elle **a** acheté	ils/elles **ont** acheté

> **La formation du participe passé**
  • **Verbes en -er :** -er devient -é
    passer : *passé*
  • **Autres verbes :** terminaisons en -i, -is, -it, -u
    boire : *bu*
  ! Quelques verbes irréguliers
    avoir : *eu* ; faire : *fait* ; prendre : *pris*

> **L'accord de l'adjectif beau**
  beau/bel/belle → pluriel : *beaux/belles*
  un beau garçon
  un bel homme
  des beaux magasins
  des belles journées

Découvrez

1 Journal intime.

  1 Écoutez le dialogue et dites ce
    qu'Émilie a fait.

  2 Lisez ce qu'Émilie a écrit hier, dans son
    journal intime. Qu'est-ce qu'elle n'a pas
    écrit dans son journal ?

  > samedi 24 août – 23 h 30
  > Très bonne journée. Cet après-midi,
  > j'ai fait les magasins. J'ai acheté un
  > cadeau pour Julien. Et ce soir,
  > j'ai dîné avec lui au Teatro Bettini.
  > J'aime beaucoup Julien. Il est beau !!!

Entraînez-vous

2 Hier…

  1 Donnez l'infinitif des participes passés.

a acheté	**c** mangé	**e** fait
b dîné	**d** passé	**f** pris

a pris des pâtes. Et pour le dessert, nous avons mangé un excellent tiramisu !

– Eh bien, dis donc, tu as passé une bonne journée, alors ?

– Oh ! oui, une très très bonne journée !

FAÇONS DE DIRE

▶ **Rapporter des événements passés**
   – J'ai fait les magasins.
   – Qu'est-ce que tu as acheté ?

▶ **Exprimer une opinion, faire des compliments**
   – Ce restaurant est très bien.
   – La cuisine est excellente.
   – C'est un très beau pull.
   – Tes chaussures sont jolies.

④ **C'est joli, non ?**

Proposez une réponse.

▶ *Exemple :* – *La cuisine est comment dans ce restaurant ?*
   ▸ – *Elle est excellente.*

1 – Tu aimes mon nouveau pantalon ?
   – Oui…
2 – Tu n'achètes pas ces chaussures ? – Non,…
3 – Alors, comment trouvez-vous mon tiramisu ?
   – Il…
4 – Il est joli ton pull. – Oui, et…

Communiquez

⑤ **Qu'est-ce que vous avez fait hier ?** 🎧

Écoutez et dites ce que l'homme a fait entre 20 heures et 23 heures.

⑥ **L'alibi.**

Un inspecteur de police vous demande ce que vous avez fait hier entre 17 heures et 21 heures. Jouez la scène avec votre voisin(e).

▶ – *À 17 heures, j'ai fait des courses.*
   – *Et qu'est-ce que vous avez acheté ?…*

2 Écrivez les phrases suivantes au passé.

❚ Bon, alors, aujourd'hui, je fais les courses… J'achète un sac pour Mathieu et un T-shirt pour Alex. Ensuite, je déjeune avec Anne. Je prends le train pour Lyon à 15 heures. Et le soir, je dîne chez ma mère.
▶ *Hier, …*

③ **Qu'est-ce qu'ils ont fait ?**

Trouvez la question.

▶ *Exemple :* J'ai acheté un pantalon noir très joli.
   → *Qu'est-ce que tu as acheté ?*

1 Elle a fait les magasins.
2 Non, nous avons mangé à la maison.
3 Oui, ils ont passé une très bonne journée.
4 Non, j'ai pris le bus.
5 Il a bu un café au restaurant.

Prononcez

⑦ **La mise en relief : l'accent d'insistance.** 🎧

Ajoutez un accent fort sur le mot important. Écoutez l'enregistrement. Prononcez et accentuez la syllabe soulignée.

▶ *Exemple :* Nous avons passé une **ex**cellente journée !

1 C'est une **belle** robe !
2 Le manteau noir est **très** beau !
3 Elles ont coûté **soi**xante-douze euros !
4 Tu as **en**core acheté des chaussures !
5 C'est un restaurant **i**talien !

Où sont-ils allés ?

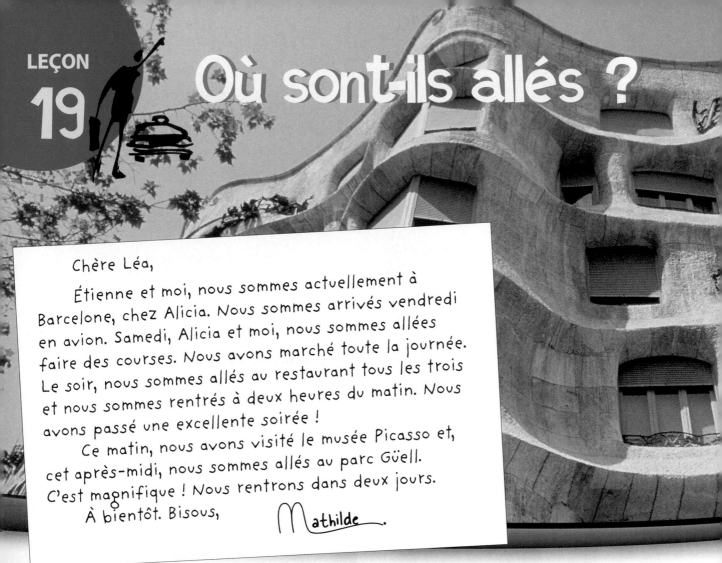

Chère Léa,

Étienne et moi, nous sommes actuellement à Barcelone, chez Alicia. Nous sommes arrivés vendredi en avion. Samedi, Alicia et moi, nous sommes allées faire des courses. Nous avons marché toute la journée. Le soir, nous sommes allés au restaurant tous les trois et nous sommes rentrés à deux heures du matin. Nous avons passé une excellente soirée !

Ce matin, nous avons visité le musée Picasso et, cet après-midi, nous sommes allés au parc Güell. C'est magnifique ! Nous rentrons dans deux jours.

À bientôt. Bisous,

Mathilde.

·GRAMMAIRE·

> **Le passé composé avec l'auxiliaire *être***

- Les verbes suivants et leurs composés se conjuguent au passé composé avec l'auxiliaire *être* :
  aller/venir – entrer/sortir – arriver/partir – monter/descendre – passer – rester – tomber – devenir – naître/mourir.

- Avec l'auxiliaire *être*, on fait l'accord du participe passé avec le sujet.
  Elles sont arrivées à cinq heures.

> **Des indicateurs de temps**

hier – la semaine dernière – le mois dernier – l'année dernière

aujourd'hui – cette semaine – ce mois-ci – cette année

demain – la semaine prochaine – le mois prochain – l'année prochaine

Découvrez

1 Carte postale.

Lisez plusieurs fois la carte postale. Puis, cachez le texte et répondez.

1 Quand est-ce qu'Étienne et Mathilde sont arrivés à Barcelone ?
2 Est-ce qu'ils sont restés à l'hôtel ?
3 Qu'est-ce que Mathilde a fait samedi, toute la journée ? Avec qui ?
4 Et samedi soir, où est-ce qu'elle est allée ? Avec qui ?
5 À quelle heure est-ce qu'ils sont rentrés ?
6 Qu'est-ce qu'ils ont visité à Barcelone ?
7 Quand est-ce qu'ils rentrent ?

2 Repérages.

Relevez, sur la carte postale, les verbes au passé composé.

1 Quels sont les verbes qui se conjuguent :
  a avec l'auxiliaire *avoir* ?
  b avec l'auxiliaire *être* ?
2 Dans quel cas est-ce que le participe passé s'accorde avec le sujet ?

·FAÇONS DE DIRE·

▶ **Parler d'événements passés**
  – Nous sommes arrivés vendredi soir.
  – Ils sont rentrés hier.

▶ **Interroger sur la durée**
  – Tu es restée combien de temps ?
  – Cinq jours.
  – Ils sont partis pour combien de temps ?
  – Pour deux jours.
  – Tu reviens quand ?
  – Dans une semaine.

④ **Combien de temps ?**

Complétez.

1 – Tu es restée … ? – Trois semaines.
2 – Elles sont parties … ? – Pour un mois.
3 – Tu reviens … ? – Dans trois jours.
4 – … est-ce qu'il faut pour aller en ville ?
   – Dix minutes en voiture.

Communiquez

⑤ **De retour de Barcelone.**

Écoutez et dites :

1 quand Mathilde est rentrée de Barcelone ;
2 combien de temps elle est restée là-bas ;
3 quand elle y retourne avec Étienne ;
4 pour combien de temps.

⑥ **Et vous ?**

Racontez à votre voisin(e) ce que vous avez fait la semaine dernière.

Entraînez-vous

③ **Qu'est-ce qu'ils ont fait à Barcelone ?**

1 Associez la question et la réponse.

2 Dans les réponses, faites l'accord du participe passé si nécessaire.

  a Qu'est-ce qu'ils ont fait dimanche matin ?
  b Ils sont allés en boîte après le restaurant ?
  c Et samedi soir, qu'est-ce qu'elle a fait ?
  d Elles sont allées au parc Güell, samedi ?
  e Quand est-ce que Mathilde est arrivée à Barcelone ?

  1 Étienne et elle sont arrivé… vendredi.
  2 Non, samedi, elles ont fait… des courses.
  3 Ils ont visité… le musée Picasso.
  4 Elle est allé… au restaurant avec Alicia et Étienne.
  5 Non, ils sont rentré… à la maison.

Prononcez

⑦ **Groupes rythmiques, liaisons et enchaînements.**

1 Divisez les phrases en groupes rythmiques.

2 Marquez les liaisons et les enchaînements.

3 Prononcez les phrases, puis écoutez l'enregistrement.

  ▶ *Exemple : Elles sont‿allées en‿Italie // chez leurs‿amies.*

  a À quelle heure sont-elles allées en ville ?
  b Elles sont revenues chez elles à six heures.
  c Elles ont acheté un cadeau à leurs amies.
  d Elles sont allées au théâtre et au concert.

Souvenirs de fête

Qu'est-ce que vous faites pour les fêtes ?

Pour le 14 Juillet, la Saint-Valentin ou pour Noël, qu'est-ce que vous faites ? La fête avec des amis ou un dîner à deux ? *Le Mag féminin* a fait son enquête.

a « Pour le 14 Juillet, cette année, je suis allée à Paris, avec deux copines. Nous avons vu le feu d'artifice à côté de l'Arc de triomphe et ensuite nous sommes allées dans une boîte sur les Champs-Élysées. Et on a fait la fête toute la nuit. »

b « À Noël, l'année dernière, avec mon mari, nous sommes allés une semaine à Vienne pour fêter nos quinze ans de mariage. Nous avons visité toute la ville à pied. Nous sommes bien sûr allés dans des pâtisseries viennoises ; nous aimons beaucoup les gâteaux ! Nous avons passé des moments magnifiques là-bas. »

Découvrez

❶ Qui dit quoi ?

Lisez les textes et dites qui parle.

1 Chloé, 8 ans.
2 Magali, 17 ans.
3 Élisa, 26 ans.
4 Éva, 42 ans.

❷ Photos de fête.

1 Associez les textes ci-dessus et les photos.
2 Associez les trois autres photos aux fêtes suivantes.

    a La fête des Mères.   c Le nouvel an.
    b La fête du Travail.

❸ Qu'est-ce qu'on fait pour… ?

Associez les fêtes et les activités ci-contre.

1 Au nouvel an,
2 Pour mardi gras,
3 À la Saint-Valentin,
4 Pour la fête du Travail,
5 À la fête des Mères,
6 Le 14 Juillet,
7 À Noël,

4

d « Pour mardi gras, j'ai fait des crêpes avec papa et maman. J'aime bien les crêpes avec de la confiture ou avec du sucre. Cette année, j'ai mangé neuf crêpes, neuf ! »

5

6

pour maman

c « Arthur et moi, nous allons toujours au restaurant pour la Saint-Valentin. Cette année, nous avons mangé sur un bateau, dans un très bon restaurant. C'est romantique, non ? »

a on fait des crêpes.
b on donne du muguet – c'est une fleur – à ses amis ou à sa famille.
c on fait un grand repas en famille et on fait des cadeaux.
d on regarde le feu d'artifice.
e on dit *bonne année* à sa famille et à ses amis.
f on fait un cadeau à sa femme, à son mari, à son/sa petit(e) ami(e).
g on fait un cadeau à sa maman.

Communiquez

4 Et dans votre pays ?

1 Quelles sont les fêtes qui existent aussi dans votre pays ?

2 Quelles sont les fêtes de votre pays qui n'existent pas en France ?

5 Souvenirs, souvenirs…

Racontez par écrit un très bon souvenir de fête en famille ou avec des amis.

❶ Qu'est-ce qu'il a mangé ?

Regardez les dessins et répondez aux questions.

1 Qu'est-ce que Mahdi a mangé, à midi ?
2 Qu'est-ce qu'il n'a pas mangé ?

❷ Du singulier au pluriel.

Mettez les verbes des phrases suivantes au pluriel.

▶ *Exemple : Tu ne manges pas de salade ?*
  → *Vous ne mangez pas de salade ?*

1 Tu bois du vin avec le poisson ?
2 Je mange la dernière crêpe ?
3 Tu achètes le journal ?
4 Elle boit du café ou du thé, le matin ?
5 Est-ce que j'achète du pain ?

❸ C'est comment ?

Choisissez la bonne réponse.

1 Va au Teatro Bettini, la cuisine est très (bon/bonne), et les pizzas sont (excellents/excellentes).
2 D'accord, cet appartement est (grand/grande), mais il est aussi très (bruyant/bruyante).
3 Ces chaussures sont (jolis/jolies) mais un peu (chers/chères), non ?
4 Ses deux frères sont très (sympa/sympas) ! Et très (beaux/belles) !
5 J'aime cet hôtel : il est (petit/petite) et les chambres sont (jolis/jolies).

❹ Qu'est-ce qu'ils ont fait ?

Complétez avec les verbes *rentrer* (deux fois), *dîner*, *visiter*, *faire* (trois fois), *aller* (trois fois), *partir*, *travailler*, *acheter* au passé composé. Attention à l'accord du participe passé !

1 – Alors, Étienne, qu'est-ce que tu … hier soir ?
   – Je … au cinéma avec Mélanie et après nous … dans un restaurant, à Montmartre.
2 – Anne, tu … le lait et les œufs ?
   – Oui, j'… les courses ce matin.
3 – Yasmina et Isabelle … à Paris ce week-end : elles … le musée d'Orsay, elles … des courses et elles … en boîte, samedi soir. Elles … hier soir.
4 – Mme Lilian ? Ah, je suis désolée, monsieur, Mme Lilian … .
5 – Combien de temps est-ce que Michel et toi, vous … en Pologne ?
   – Deux ans. Nous … l'année dernière.

❺ Tout est une question de temps.

Associez les phrases.

1 Tu es resté combien de temps à La Rochelle ?
2 Quand est-ce que vous revenez ?
3 Combien de temps est-ce qu'il faut pour aller là-bas ?
4 Elle est rentrée quand ?
5 Quand est-ce que tu vas à la piscine, en général ?

a Dans quatre ou cinq jours.
b Le lundi soir et parfois le week-end.
c Trois heures, en train.
d Jeudi dernier.

Unité 6 :
On ne peut pas plaire à tout le monde !

Leçons	Objectifs communicatifs	Objectifs linguistiques	Savoir-faire
Leçon 21 Qu'est-ce qu'on peut faire ?	• Demander, donner et refuser une permission • Exprimer des interdictions	• Le verbe *pouvoir* • La négation de l'impératif • Les pronoms COI après l'impératif affirmatif	• Permettre ou interdire quelque chose
Leçon 22 Petites annonces	• Exprimer la possibilité, le savoir-faire, la volonté • Exprimer l'obligation	• Les verbes *vouloir* et *savoir* au présent • *Il faut* + infinitif	• Se présenter dans un cadre professionnel
Leçon 23 Qu'est-ce qu'on lui offre ?	• Faire des propositions • Accepter une proposition • Refuser une proposition	• Les verbes *connaître* et *offrir* au présent • Les pronoms COD *le, la, l', les* • Les pronoms COI *lui, leur*	• Accepter et refuser une proposition
Leçon 24 Être le candidat idéal	• Demander, donner et refuser une permission • Exprimer des interdictions		• Conseiller quelqu'un

Qu'est-ce qu'on peut

1 – Excusez-moi, madame, il est interdit
de fumer dans le bar du TGV.

– Mais où est-ce que je peux fumer, alors ?

– Vous pouvez fumer en voiture
numéro 15 ; c'est à côté du bar.

2 – Je voudrais une chambre, s'il vous plaît.
Pour une personne.

– Pour une personne… D'accord. Je peux avoir votre…
Ah ! Vous avez un chien ?

– Oui.

– Je suis désolé, monsieur,
mais vous ne pouvez
pas prendre votre chien
avec vous, dans
la chambre.

– Comment ça ?!

·GRAMMAIRE·

> **Le verbe *pouvoir***
- Il est suivi d'un verbe à l'infinitif :
  *Je **peux** entrer ?*
- Trois radicaux :

*je **peux***	*nous **pouvons***
tu peux	*vous pouvez*
il/elle peut	*ils/elles **peuvent***

> **La négation de l'impératif**
  *Ne traversez **pas**.*

> **Les pronoms compléments indirects
(COI) *moi, toi, lui, nous, vous, leur*
après l'impératif affirmatif**
Quelques verbes : *donner/téléphoner/parler*
(à quelqu'un) ou *acheter* (pour quelqu'un)
  *Donnez-**moi** deux places pour demain,
  s'il vous plaît.
  Téléphone-**leur**.
  Parle-**lui** de ton voyage.*

Découvrez

1 **Où est-ce qu'ils sont ?** 👁👁
Écoutez et dites où se trouvent
les différentes personnes.

2 **Qu'est-ce qu'ils ne peuvent pas faire ?** 👁👁
Écoutez à nouveau et dites ce que les
personnes ne peuvent pas faire.

1 Elle ne peut pas…
2 Il ne peut pas…
3 Il ne peut pas…

Entraînez-vous

3 **Et ici ?**
Indiquez ce qu'on peut faire ou ne pas
faire dans les lieux suivants.

1 Au cinéma.
2 En classe.
3 Au restaurant.

faire ?

3 – Pardon, madame, *La Leçon*
de Ionesco, c'est bien dans la
grande salle ?

– Oui, monsieur, mais vous
ne pouvez pas entrer : il est
21 heures et le spectacle
a commencé à 20 h 30.

– Mais, sur mon billet,
c'est écrit vingt… Oh !
pardon, 20 h 30, oui…
Excusez-moi. Bon,
alors, donnez-moi deux
places pour demain.
C'est possible ?

·FAÇONS DE DIRE·

▶ **Demander, donner et refuser
une permission**
– Je peux entrer avec mon chien ?
– Vous pouvez traverser.
– Désolé(e), vous ne pouvez pas/on ne
peut pas fumer.

▶ **Exprimer des interdictions**
– Il est interdit d'entrer.
– On ne peut pas entrer.
– N'entrez pas !
– Il n'est pas permis d'entrer.

⑤ **Qu'est-ce qu'ils disent ?**

Complétez les phrases avec *moi*, *toi*, *lui*,
nous, *vous* ou *leur*.

1 Patrick, dites-… l'heure du rendez-vous avec
M. Chen, s'il vous plaît.
2 Non, tu n'es pas bien dans ce pull ! Prends-…
une autre couleur !
3 Lucie ! Anna ! Voilà 20 €. Allez, achetez-… un CD.
4 Sophie arrive ! Montre-… tes photos d'Espagne.
5 Non, nous ne prenons pas le métro.
Appelez-… un taxi.
6 Ils aiment bien la cuisine italienne ;
faites-… des pâtes.

Communiquez

⑥ **Au régime.**

Vous allez chez votre médecin. Il/Elle vous
indique ce que vous pouvez ou ne pouvez
pas manger et ce que vous pouvez faire
(aller au travail à pied, faire du sport, etc.).
Jouez la scène.

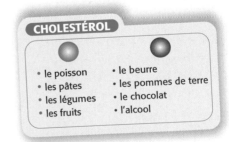

CHOLESTÉROL

• le poisson
• les pâtes
• les légumes
• les fruits

• le beurre
• les pommes de terre
• le chocolat
• l'alcool

④ **Qu'est-ce qui est permis ?**

Demandez à votre voisin(e) ce qu'on peut
faire ou ne pas faire. Plusieurs réponses
sont possibles.

▶ *Exemple :*
Est-ce qu'on peut entrer ?
→ *Non, **on ne peut pas** entrer ici/*
***il est interdit** d'entrer/*
il n'est pas permis** d'entrer./ **N'entrez pas.

Prononcez

⑦ **Opposer [ʃ] et [ʒ].** 👄
Dites si vous entendez [ʃ] ou [ʒ] .

Petites 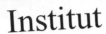 annonces

Institut
de langues

Paris

XIIe

Vous êtes un JH ou une JF entre 25 et 35 ans,
souriant(e) et dynamique.
Vous voulez travailler avec des personnes étrangères.
Vous savez parler anglais, allemand et espagnol.
Vous pouvez travailler, parfois, le week-end.

Nous cherchons
un(e) responsable de l'accueil
des étudiants dans notre école.

Contactez M. Blaive
Directeur des langues
Institut de langues
78, quai de la Rapée – 75012 Paris
01 43 96 25 25

· GRAMMAIRE ·

> **Le verbe *vouloir* au présent**
Trois radicaux :

je **veux**	nous **voul**ons
tu veux	vous voulez
il/elle veut	ils/elles **veul**ent

Il veut un billet de train. Il veut partir.

! On peut dire : *Je **voudrais** un thé.* (forme polie)
ou : *Je **veux** un thé, s'il vous plaît.*

> **Le verbe *savoir* au présent**
Deux radicaux :

je **sais**	nous **sav**ons
tu sais	vous savez
il/elle sait	ils/elles **sav**ent

*Tu **sais** parler anglais ?*

> ***Il faut* + infinitif**
Il faut réserver des places.

Découvrez

1 **JF cherche travail.**

  1 Lisez la petite annonce.
Que signifient *JH* et *JF* ?

  2 Écoutez le dialogue et indiquez quels
sont les points forts et les points faibles
de la personne pour ce travail.

Entraînez-vous

2 ***Pouvoir, vouloir* ou *savoir* ?**

Complétez les phrases avec un de ces
trois verbes.

1 Elle … parler allemand ?

2 Tu … mettre cette lettre à la poste ?

3 – Vous … aller au cinéma, ce soir ?
   – Ah ! oui, c'est une bonne idée.

4 – Ils … aller à la fête, samedi ?
   – Non, ce n'est pas possible.

5 Pas de problème, nous … répondre
au téléphone.

·FAÇONS DE DIRE·

▶ **Exprimer**
  • **la possibilité :**
    – Oui, je peux travailler le week-end.
  • **le savoir-faire :**
    – Je sais parler anglais et allemand.
  • **la volonté :**
    – Il veut un billet./Elle veut travailler.

▶ **Exprimer l'obligation**
    – Il faut téléphoner à la gare.

Communiquez

⑤ Cours privé. 📞

Écoutez et répondez aux questions.

1 Quel est le problème de la mère ?
2 Combien d'heures de cours veut-elle ?
3 Quand l'étudiante peut-elle venir ?

⑥ Un entretien.

Lisez la petite annonce ci-dessous et jouez, avec votre voisin(e), l'entretien entre le directeur du restaurant et le/la candidat(e).

> Restaurant
> ## LA BONNE ASSIETTE
> 7, place de la Victoire – 33000 Bordeaux
>
> **cherche un(e) serveur/serveuse,
> minimum 23 ans,
> deux années d'expérience
> dans la restauration.
> Anglais indispensable.**
>
> Contactez M. André – 05 56 10 51 47

③ Que faire ?

Qu'est-ce qu'il faut faire dans les situations suivantes ?

▶ *Exemple : Vous voulez aller au théâtre.*
  → *Il faut réserver des places.*

1 Vous voulez réserver une chambre à Paris.
2 Vous voulez apprendre l'italien.
3 Vous voulez avoir les horaires des trains pour Nice.
4 Vous voulez acheter un appartement.

④ C'est où ?

Lisez les phrases ci-dessous et dites où se trouve la personne.
Puis, imaginez la question.

▶ *Exemple : Un café, s'il vous plaît.*
  → *Dans un café.*
    Bonjour, monsieur, qu'est-ce que vous voulez boire ?

1 Il y a une boulangerie au coin de la rue, à gauche.
2 Je voudrais un kilo de pommes de terre, s'il vous plaît.
3 Pour les cartes d'étudiants, il faut aller à l'accueil.
4 Non, merci, je ne peux pas boire de vin.
5 Oui, bien sûr, j'ai travaillé en Angleterre.

Prononcez

⑦ Les semi-voyelles [ɥ] et [w]. 📞

Écoutez et dites si vous entendez [ɥ] ou [w]. Puis, prononcez la phrase.

1 Il va dans la cuisine.
2 Ils ont dit oui.
3 C'est bruyant ici !
4 Louis est venu.
5 Ils arrivent aujourd'hui.

Qu'est-ce qu'on lui

– Mais qu'est-ce que vous faites ?

– Eh bien, on cherche une idée de cadeau pour Jasmine.

– Mais pourquoi ? C'est son anniversaire ?

– Mais non ! Elle quitte l'agence cette semaine. Elle part à la retraite.

– Ah ! mais oui, c'est vrai !

– Et alors, on lui offre un cadeau pour son départ.

– Oui, mais on ne sait pas quoi acheter.

– Tu la connais bien, toi, Jasmine. Quels sont ses goûts ?

– Qu'est-ce qu'elle aime ? Je ne sais pas, moi… offrez-lui des fleurs… ou pourquoi pas un CD de musique classique ?

– Ce n'est pas très original !

– Bon, alors, vous pouvez offrir un livre d'art sur la photo ou sur la peinture.

– Ah ! oui, tiens, ça c'est une bonne idée…
  Ah ! mais non, le directeur lui achète un livre !

– Ah ! Écoutez, bon, je suis désolé mais je n'ai pas d'autre idée.

·GRAMMAIRE·

> **Le verbe *connaître* au présent**
  Deux radicaux :

*je **connais***	*nous **connaissons***
tu connais	*vous **connaissez***
il/elle connaît	*ils/elles **connaissent***

> **Le verbe *offrir* au présent**
  Il se conjugue comme les verbes réguliers en -er. *(Voir conjugaison p. 118.)*

> **Les pronoms compléments d'objet direct (COD) : *le, la, l', les***
  – *Tu lis le journal ? – Non, je ne **le** lis pas.*
  – *Tu invites Jasmine ? – Oui, je **l'**invite.*
  – *Tu achètes les fleurs ? – Oui, je **les** achète.*

> **Les pronoms compléments d'objet indirect (COI) : *lui, leur***
  – *Tu parles à ta mère ? – Oui, je **lui** parle.*
  – *Tu téléphones à tes amis ?*
  – *Non, je ne **leur** téléphone pas.*

Découvrez

1 **Quel cadeau choisir ?**

  1 Écoutez et répondez aux questions.

  a Pourquoi est-ce que les collègues de Jasmine veulent lui offrir un cadeau ?

  b Où part Jasmine ?

  c Qu'est-ce que ses collègues veulent acheter pour son départ ?

  d Pourquoi est-ce qu'elles ne peuvent pas lui offrir ce cadeau ?

  2 Que remplacent *lui* (ligne 6) et *la* (ligne 8) ? Quelle différence est-ce qu'il y a entre ces deux pronoms ?

Entraînez-vous

2 **Réponse à tout.**

  Complétez les phrases avec *le, la, l'* ou *les.*

  ▶ *Exemple : Tu connais <u>le nouveau restaurant</u>, place de Clichy ? → Oui, je **le** connais.*

  1 – Il achète <u>les fleurs</u> pour ce soir ?
      – Oui, il … achète.

offre ?

· FAÇONS DE DIRE ·

▶ **Faire des propositions**
– Offrez-lui des fleurs.
– Pourquoi pas un CD ?
– Vous pouvez offrir un livre d'art.

▶ **Accepter une proposition**
– Oui. C'est une bonne idée.

▶ **Refuser une proposition**
– Ah ! mais non.
– Ce n'est pas très original.

⑤ **E-mail.**

Complétez l'e-mail suivant.

> **De :** hugo@hotmail.com
> **À :** maxime@free.fr
> **Objet :** anniversaire de Charlotte et Alain

Salut Maxime,

Pour son anniversaire, à Charlotte, je … offre le dernier CD de Moby : elle ne … a pas. Et Alain, je … achète une bouteille de bordeaux. Et toi, qu'est-ce que tu … offres à tous les deux ? Pour les gâteaux, pas de problème, Elisa et Mehdi … font. Et la salade, je … prépare. À samedi.

Hugo

2 – Tu fais <u>la cuisine</u> ? – Non, je ne … fais pas.

3 – Vous invitez <u>Anne</u> à la fête ? – Oui, je … invite.

4 – Tu laisses <u>le blouson</u> dans la voiture ?
– Oui, je … laisse.

5 – Vous prenez <u>votre agenda</u> avec vous ?
– Non, je ne … prends pas !

③ *Lui* ou *leur* ?

Répondez aux questions avec *lui* ou *leur*.

1 – Elle a écrit <u>à ses parents</u> ? – Non, …

2 – Tu offres des fleurs <u>à ta femme</u> pour la Saint-Valentin ? – Oui, …

3 – Vous faites un cadeau <u>à Thomas</u> ? – Non, …

4 – Tu téléphones <u>à tes amis</u> pour ce week-end ?
– Oui, …

5 – Ils parlent <u>au directeur</u> ce matin ? – Non, …

④ **Qu'est-ce qu'ils font ?**

Trouvez la question.

1 Il le prend à 17 h 30.

2 Je leur fais un petit cadeau.

3 Oui, bien sûr, elle les invite.

4 Oui, nous l'achetons tous les jours.

5 Je lui offre un CD.

Communiquez

⑥ **L'anniversaire surprise.**

Vous organisez une fête surprise pour l'anniversaire d'un(e) ami(e). Avec votre voisin(e), imaginez la discussion pour l'organisation de la soirée : le lieu de la fête, le(s) cadeau(x), les invité(e)s, les plats à préparer, les surprises…

Prononcez

⑦ **Le e caduc.** 🎧

Écoutez et prononcez. Quel *e* est-ce qu'on supprime dans la prononciation ?

1 Je le connais.

2 Je ne sais pas.

3 On le voit.

4 Vous le faites.

5 Nous le savons.

6 Je ne mange pas ça.

Être le candidat

? COMMENT RÉUSSIR UN ENTRETIEN

Découvrez

1 Qu'est-ce que c'est ?

Lisez le document page 69 et dites qui l'a écrit. Pour qui ?

2 Et quoi encore ?

Ajoutez trois autres conseils pour réussir un entretien.

▶ *Ne fumez pas pendant l'entretien…*

3 Les erreurs. 👓

Écoutez le dialogue et dites quels sont les conseils que la candidate ne respecte pas.

idéal

Avant l'entretien

● Recherchez des informations sur l'entreprise.

● Passez une bonne nuit.

● Faites attention à votre présentation générale : les vêtements, les cheveux…

● Arrivez à l'heure.

Pendant l'entretien

● Restez calme et souriant(e).

● Regardez dans les yeux la personne en face de vous.

● Écoutez avec attention et répondez avec des phrases courtes.

● Ne racontez pas votre vie ou vos problèmes.

● Parlez correctement : n'utilisez pas de mots familiers.

● Posez, vous aussi, des questions : sur le travail, les horaires, l'entreprise…

D'après les conseils donnés par l'ANPE (Agence nationale pour l'emploi).

Communiquez

4 **Et dans votre pays ?**

Avec votre voisin(e), répondez aux questions suivantes.

Au travail, dans votre pays…

1 est-ce qu'il est permis de fumer ?

2 est-ce qu'on peut dire *tu* au directeur ou à la directrice ?

3 est-ce qu'il faut arriver et partir exactement à l'heure ?

5 **À vous !**

Choisissez un thème *(Comment réussir une fête avec des amis, Comment réussir un voyage à l'étranger…)* et, à la manière de *Comment réussir un entretien*, écrivez un petit guide.

6

BILAN

6

① Mots croisés.

Lisez les phrases et complétez la grille de mots croisés.

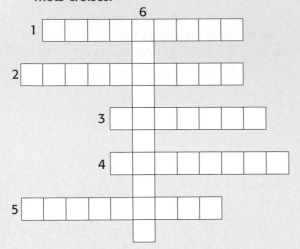

1 J'ai un … à 15 heures pour un travail.
2 Oui, maintenant elle travaille dans une grande … .
3 Je cherche un … dans un hôtel ou un restaurant.
4 Jasmine a soixante ans cette année : elle part à la … dans un mois.
5 Vous êtes candidat ou candidate ? Vous pouvez … monsieur Leroy au 01 47 52 64 89.
6 Oui, c'est ça ; j'ai cinq ans d'… dans l'informatique.

② é ou *er* ?

Choisissez la bonne réponse.

1 Vous savez … anglais et allemand ?
  a parlé
  b parler
2 Est-ce que tu as … ce week-end ?
  a travaillé
  b travailler
3 Tu peux … à la poste ?
  a allé
  b aller
4 Vous voulez … avec nous, demain ?
  a dîné
  b dîner
5 Quand est-ce que vous êtes … ?
  a arrivés
  b arriver
6 Je suis … hier soir.
  a rentrée
  b rentrer

③ Du singulier au pluriel.

Mettez le dialogue au pluriel.

– Tu sais parler italien et espagnol, toi ?
– Oui, oui, je sais parler italien, anglais et espagnol.
– D'accord, mais est-ce que tu peux aussi écrire des lettres dans ces trois langues ?
– Je peux écrire des lettres en italien et en anglais, oui. Pas en espagnol.
– Et Alicia ?
– Alicia ? Elle est mexicaine, alors elle peut parler et écrire en espagnol, bien sûr. Mais elle ne veut pas travailler avec toi. Et moi, je ne veux pas travailler avec elle…
– Oh là, là !

④ Dites-le autrement.

Transformez la phrase comme dans l'exemple.

▶ *Exemple : Il est interdit de fumer au cinéma.*
→ *Ne fumez pas au cinéma.*
1 Vous ne pouvez pas faire de gymnastique dans l'avion.
2 Il n'est pas permis de manger dans les musées.
3 Il est interdit d'écrire sur les murs de l'école.
4 Il ne faut pas dormir pendant le cours.
5 On ne peut pas visiter ce musée le mardi.

⑤ Que faut-il faire ?

Complétez avec *moi, lui, nous* ou *leur*.

1 C'est son anniversaire. Téléphone-… aujourd'hui.
2 Vous partez en vacances ? Écrivez-… . Je reste ici.
3 Ils n'ont pas les horaires de train. Donne-… les horaires.
4 Nous sommes à Paris demain. Appelez-… samedi.

⑥ Fred, Lucie, Hélène et les autres.

Répondez aux questions avec *le, la, l', les, lui* ou *leur*.

▶ *Exemple : Tu connais Jacques et Évelyne ?*
→ *Oui, je les connais.*
→ *Non, je ne les connais pas.*
1 Elle invite Marc, ce soir ?
2 Tu téléphones à Hélène pour la fête ?
3 Vous connaissez mon amie ?
4 Elle quitte son mari ?
5 Vous offrez un cadeau à Fred et Lucie ?

❶ Compréhension de l'oral

Format de l'épreuve : Réponse à des questionnaires de compréhension portant sur trois ou quatre très courts documents enregistrés ayant trait à des situations de la vie quotidienne. (deux écoutes)

– Durée maximale des documents : 3 minutes
– Durée de l'épreuve : 20 minutes environ

Vous allez entendre deux fois un document. Vous aurez 30 secondes de pause entre les deux écoutes puis 30 secondes pour vérifier vos réponses. Lisez les questions.

Répondez aux questions en cochant ☑ la bonne réponse ou en écrivant l'information demandée. ☎

1. À quelle heure cet homme se lève ?

2. À quelle heure prend-il son petit déjeuner ?

3. Entre 11 heures et midi, cet homme :
  a V écrit.
  b déjeune.
  c lit les journaux.

4. Entre 16 heures et 19-20 heures, cet homme :
  a écrit.
  b se promène.
  c fait du sport.

5. Le soir, il regarde la télé :
  a Vrai.
  b Faux.
  c On ne sait pas.

6. Cet homme dort combien d'heures par nuit ?

❷ Production orale

Format de l'épreuve : 10 minutes de préparation suivi de 5 à 7 minutes de passation.

Cette épreuve comporte trois parties. Pour la deuxième et troisième partie, vous aurez 10 minutes de préparation.

Première partie – Entretien dirigé *(1 minute environ)*

> Vous répondez aux questions de l'examinateur sur vous-même, votre famille, vos goûts ou vos activités (exemples : comment vous vous appelez ?, quelle est votre nationalité ?...).

Deuxième partie – Échange d'informations *(2 minutes environ)*
À partir des mots-clés, vous posez des questions à l'examinateur.

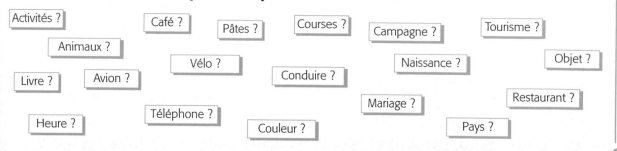

Activités ? Café ? Pâtes ? Courses ? Campagne ? Tourisme ?
Animaux ? Vélo ? Naissance ? Objet ?
Livre ? Avion ? Conduire ? Restaurant ?
Heure ? Téléphone ? Mariage ? Pays ?
Couleur ?

Troisième partie – Dialogue simulé (ou jeu de rôle) *(2 minutes environ)*

Vous voulez obtenir un bien ou un service (acheter un objet, passer une commande…). À partir des images que l'examinateur vous a remises, vous vous informez sur le(s) produit(s) et/ou les services, et le prix avant d'acheter. Pour payer vous disposez de pièces de monnaie et d'autres moyens de paiement. Vous montrerez que vous êtes capable d'utiliser les formules d'accueil, de congé et les formules de politesse de base. Si vous ne connaissez pas un mot, vous essayez trouver le moyen de faire comprendre ce que vous voulez.

Dans un magasin de vêtements

Unité 7 :
Un peu, beaucoup, passionnément…

Leçons	Objectifs communicatifs	Objectifs linguistiques	Savoir-faire
Leçon 25 Enquête dans la rue	• Exprimer des goûts et des préférences • Exprimer la fréquence ou l'intensité	• Les pronoms *en* et *ça* • La négation : *ne… plus*	• Parler de ses loisirs
Leçon 26 Tous à la campagne	• Demander et exprimer une opinion • Exprimer une contestation	• Interroger sur la cause : *Pourquoi… ? Parce que…* • *Trop/Assez* + adjectif, *trop de/assez de* + nom • *Tout/toute, tous/toutes*	• Donner son opinion
Leçon 27 Les vacances, c'est sacré !	• Exprimer des goûts • Donner des conseils	• Les verbes pronominaux au présent et au passé composé • La place du pronom à l'impératif avec un verbe pronominal	• Parler de ses vacances
Leçon 28 Les Français et les vacances	• Exprimer des goûts et des préférences		• Décrire des habitudes de vacances

Enquête dans

1 Sexe ☐ H ☐ F

Âge ☐ 18/25 ☐ 26/35
☐ 36/50 ☐ 51 et +

2 Faites-vous du sport ?
☐ oui (☐ un peu ☐ beaucoup)
☐ non

3 Le week-end, sortez-vous… ?
☐ beaucoup ☐ un peu
☐ pas du tout

4 Avec qui sortez-vous ?
☐ avec votre famille ☐ avec des amis

5 Quelles sont vos activités préférées ?
☐ le cinéma ☐ le théâtre
☐ l'opéra ☐ les musées

6 Que préférez-vous ?
☐ lire (un livre,
un journal, un magazine)
☐ regarder la télévision

**7 Avec vos amis,
où préférez-vous dîner ?**
☐ chez vous/chez eux
☐ au restaurant

**8 Et après, où sortez-vous,
en général ?**
☐ dans les bars
☐ dans les
discothèques

·GRAMMAIRE·

> **Le pronom *en***
En remplace *un(e)/du/de la/de(s)* + nom.
Il se place devant la forme conjuguée
du verbe.
– *Vous faites du sport ?*
– *Oui, j'**en** fais.*
– *Tu ne veux pas de pain ?*
– *Non, je n'**en** veux pas.*

> **Le pronom *ça***
Ça remplace :
– un nom :
*Le chocolat ? Oui, j'aime **ça**.*
– une proposition infinitive :
– *Tu aimes aller dans les musées ?*
– *Oui, j'aime beaucoup **ça**.*

> **La négation : *ne… plus***
– *Est-ce que vous faites du sport ?*
– *Non, j'ai fait du sport mais je **n'en**
fais **plus**.*

Découvrez

❶ Les loisirs des Français.

1 Écoutez le dialogue et repérez les réponses
données à l'aide du questionnaire. 🎧

2 Lisez les phrases suivantes et dites ce que
remplacent *en* et *ça*.

a J'ai fait du sport, mais aujourd'hui, non…
je n'**en** fais plus.

b J'aime beaucoup le cinéma… (…) Mais l'opéra
et les musées, non… Je déteste **ça** !

Entraînez-vous

❷ Un peu, beaucoup…

Répondez à la question avec *en*.

▶ *Exemple : – Vous faites beaucoup de sport ?*
→ *– Oui, j'**en** fais beaucoup.*

1 – Elle a un peu de temps pour sortir ? – Oui, …

2 – Tu lis beaucoup de magazines ? – Oui, …

3 – Il a fait un peu de théâtre ? – Oui, …

4 – Vous avez beaucoup de travail, en ce
moment ? – Oui, …

la rue

▶ **Exprimer des goûts et des préférences**
– J'aime bien le théâtre.
– Il adore faire la cuisine.
– J'aime beaucoup le cinéma mais
je préfère le théâtre.
– Je déteste ça.

▶ **Exprimer la fréquence ou l'intensité**
– Je sors un peu.
– Oui, j'en fais beaucoup.
– J'aime bien.
– J'aime beaucoup. Un peu. Pas du tout.

5 **J'aime… Je déteste…**

Lisez le tableau ci-dessous et écrivez,
vous aussi, ce que vous aimez et ce
que vous détestez.

J'aime…	Je déteste…
faire la fête	travailler
téléphoner à mes amis	prendre l'avion
le cinéma	le poisson
la musique classique	la couleur verte
…	…

3 **Pas du tout !**

Imaginez la fin des phrases avec *en*
et *ne plus*.

▶ *Exemple :* J'aime bien faire du sport mais
je **n'en** fais **plus**, je n'ai **plus** le temps.

1 J'aime beaucoup manger des pommes
de terre mais…

2 J'aime acheter des CD mais…

3 J'adore prendre des photos mais…

4 J'aime bien offrir des cadeaux à mes amis mais…

4 **Question de goût.**

Associez chaque question à une réponse.

1 Tu aimes regarder les films à la télé ?

2 Tu fais de la natation ?

3 Tu aimes aller dans les musées ?

4 Tu sors beaucoup en discothèque ?

5 Tu invites tes amis chez toi, en général ?

a Ah ! non, je déteste ça ! Tu sais, moi, la peinture…

b Oui, j'en fais un peu.

c Oui, mais je préfère aller au cinéma.

d Ah ! oui, j'adore ça, j'aime bien faire la cuisine.

e Non, je n'aime pas beaucoup danser.

Communiquez

6 **À vous !**

Avec votre voisin(e), utilisez le questionnaire
de l'enquête et parlez de vos goûts, de
vos préférences concernant les loisirs.
Puis, présentez les goûts de votre
voisin(e) à la classe.

▶ *Il/elle fait un peu de sport. Il/elle regarde
beaucoup la télé mais elle aime bien lire aussi…*

Prononcez

7 **Le e caduc entre deux consonnes.**

Soulignez les *e* caducs. Prononcez les
phrases et écoutez l'enregistrement.

1 J'aime beaucoup le cinéma.

2 Je n'aime pas le poisson.

3 Il fait un peu de sport le dimanche.

4 Vous avez beaucoup de travail ?

5 J'adore le théâtre !

Tous à la campagne

– Comment ! Estelle et toi, vous quittez Paris ?

– Eh oui, on a acheté une maison à la campagne, à côté d'Orléans.

– Et vous… ?

– Eh oui, nous, on va habiter là-bas.

– Mais attends… Je ne comprends pas… Pourquoi est-ce que vous partez à la campagne ?

– Mais parce qu'à Paris, il y a trop de voitures, trop de pollution, il n'y a pas assez d'espaces verts… Et puis, c'est trop bruyant aussi ! Moi, tu comprends, je ne peux plus vivre ici.

– Écoute, il y a aussi beaucoup d'avantages à Paris ! Il y a des théâtres, des cinémas… On peut sortir tous les jours dans les bars ou en boîte… Il y a des magasins ouverts le dimanche…

– Mais attends, mais qu'est-ce que tu t'imagines ! À la campagne aussi, il y a des activités à faire.

– Oui, mais alors vraiment pas beaucoup ! Et puis, tout le monde se connaît, moi je n'aime pas ça !

– Eh bien, moi, je trouve ça pas mal du tout. On connaît les gens, on parle ensemble… Ici, dans mon immeuble, je ne connais pas du tout mes voisins.

GRAMMAIRE

> **Interroger sur la cause :
> Pourquoi… ? Parce que…**
> – *Pourquoi est-ce que vous partez
> à la campagne ?*
> – *Parce qu'à Paris, il y a trop
> de voitures.*

> **Trop/Assez + adjectif,
> trop de/assez de + nom**
> *C'est **trop** bruyant.*
> *Ce n'est pas **assez** calme.*
> *Il y a **trop de** voitures.*
> *Il n'y a **pas assez d'**espaces verts.*

> **Tout/toute, tous/toutes**
> • **Adjectif**
> ***Tout** le monde se connaît.*
> *On peut sortir **tous** les jours.*
> • **Pronom**
> *Ils sont **tous** là.*
> *Elles sont **toutes** allées au cinéma ?*

Découvrez

1 Pour ou contre ?

Écoutez le dialogue et notez les avantages et les inconvénients de la vie à Paris.

Entraînez-vous

2 Pour quelle raison ?

Imaginez une réponse à chaque question avec *parce que*.

1 Pourquoi est-ce qu'elle est fatiguée ?
2 Pourquoi est-ce qu'elle va au travail à pied ?
3 Pourquoi est-ce que tu changes d'appartement ?
4 Pourquoi est-ce qu'il part à Marseille ?
5 Pourquoi est-ce que vous lui offrez un cadeau ?

– Eh bien, moi, je les connais…
Et Estelle, qu'est-ce qu'elle en pense ?
– Ah ! Estelle, elle est d'accord
avec moi. Elle aussi, elle préfère partir.
– Vous avez peut-être raison…

·｜FAÇONS DE DIRE｜·

▶ **Demander et exprimer une opinion**
– Qu'est-ce qu'elle en pense ?
– Je trouve ça pas mal du tout.
– Je n'aime pas ça.

▶ **Exprimer une contestation**
– Qu'est-ce que tu t'imagines !
– Je ne comprends pas !

5 **Tous** ou **toutes** ?
Répondez avec *tous* ou *toutes*.

1 – Tes voisins sont venus à la fête ? – Oui, …
2 – Les photos sont belles ? – Oui, …
3 – Les invités sont arrivés ? – Oui, …
4 – Les petits gâteaux sont sur la table ? – Oui, …
5 – Vos filles sont mariées ? – Oui, …

Communiquez

6 **Qu'en pensez-vous ?**
Répondez aux questions suivantes
et justifiez vos réponses.

Préférez-vous :
1 vivre en ville ou à la campagne ?
2 voyager seul ou avec des amis ?
3 faire les courses au marché ou dans
un supermarché ?
4 travailler peu et gagner un peu d'argent ou
travailler beaucoup et gagner beaucoup d'argent ?

3 **Trop** ou **pas assez** ?
Complétez avec *trop* ou *pas assez* + adjectif
ou *trop de* et *pas assez de* + nom.

1 Je ne fais … sport, en ce moment, parce que
j'ai … travail.
2 Nous quittons notre appartement ; il est …
bruyant et … grand.
3 Passe à la boulangerie. Il n'y a … pain pour
le dîner.
4 La salle est … petite : il n'y a … places.
5 Ce n'est … calme. Changeons de table.

4 **Tout.**
Choisissez la forme soulignée qui convient.

1 Il y a eu du bruit tout/toute la journée.
2 J'ai invité tous/toutes mes voisins à la fête,
samedi soir.
3 Il y a tout/toute le temps des problèmes dans
cet immeuble.
4 Tous/Toutes ses amies sont parties habiter
à Paris.
5 Elle aime bien tous/toutes les cuisines
du monde.

Prononcez

7 **Opposer des termes par l'intonation.**
Écoutez et imitez l'intonation.

Les vacances, c'est

– Alors, dites-moi, les filles, vous allez où pendant les vacances ?

– Ah ! moi, je pars à Cannes dans ma famille.

– Ah bon ? Ta famille habite là-bas ?

– Oui, enfin, mon frère et sa femme. Avec leurs deux petits…
Ah ! mais j'adore les vacances avec eux ! On va à la plage, on se baigne,
on s'amuse, on mange des glaces, on se repose… Enfin, bref, les vacances, quoi !

– Oh ! moi, la plage, je ne peux pas. Je déteste ça ! Il fait trop chaud… Et je m'ennuie !

– Ah bon ? Tu vas où, alors ?

– Cette année, avec Max, nous allons dans le Périgord, à la campagne. Tu sais, nous,
on aime beaucoup le calme, la nature… Et on fait du camping. On adore ça !

– Ah ! oui, oui… Et toi, alors, Virginie, tu fais quoi ?

– Moi, je vais toujours à l'étranger. Cette année, je pars deux semaines en Grèce.
J'y suis allée deux fois. Je me suis vraiment bien amusée.

– Bon, eh bien, les filles, calmez-vous maintenant, et arrêtez de rêver,
parce que la pause-café, c'est fini. Alors, allez, au travail !

– Oh ! là, là ! Vivement les vacances !

GRAMMAIRE

> Les verbes pronominaux

Rappel : Le verbe est précédé d'un pronom
qui renvoie au sujet (le pronom réfléchi) :
me, te, se, nous, vous, se.

S'habiller

je m'habille	*nous nous habillons*
tu t'habilles	*vous vous habillez*
il/elle s'habille	*ils/elles s'habillent*

Se lever

je me lève	*nous nous levons*
tu te lèves	*vous vous levez*
il/elle se lève	*ils/elles se lèvent*

! Les verbes pronominaux au passé composé
se conjuguent avec l'auxiliaire *être.*
*Hier, **elles se sont levées** à 7 heures.*

> La place du pronom à l'impératif avec un verbe pronominal

Couche-toi tard.	*Ne te couche pas tard.*
Levons-nous.	*Ne nous levons pas.*
Promenez-vous.	*Ne vous promenez pas.*

Découvrez

1 Vivement les vacances !

1 Écoutez et relevez ce que chaque femme
aime faire pendant ses vacances.

La première… ; la deuxième… ; la troisième…

2 Où est-ce qu'elles dorment pendant
leurs vacances ?

La première… ; la deuxième… ; la troisième…

Entraînez-vous

2 Conseils.

Complétez avec les verbes suivants.

1 Tu es fatiguée, en ce moment. Alors (se reposer)
… pendant les vacances.

2 Vous avez trop chaud ? Eh bien, (se baigner) … !

3 Bon, allez les filles, bon voyage ! Et puis,
(s'amuser) … bien !

4 Tu t'ennuies ? Bah, (se promener) … sur la plage.

5 Votre train part à 6 heures du matin. Alors,
(se coucher) … assez tôt ce soir.

sacré !

· FAÇONS DE DIRE ·

▶ **Exprimer des goûts**
– Qu'est-ce que c'est bien !
– C'est super !
– C'est vraiment beau !
– Je me suis ennuyé.
– Ce n'est pas très intéressant.
– Ça n'a pas beaucoup d'intérêt.

▶ **Donner des conseils**
– Calmez-vous, les filles, et arrêtez de rêver !
– Amuse-toi bien.
– Reposez-vous.

Communiquez

⑤ **Alors, ces vacances ?** 🔊

1 Écoutez et dites si l'opinion de chaque personne est positive ou négative.

2 Écoutez une nouvelle fois et relevez les expressions d'opinion.

⑥ **Souvenirs de vacances.**

Racontez vos dernières vacances à votre voisin(e). Faites des commentaires.

Prononcez

⑦ **L'alternance [ɛ] et [ə] dans quelques verbes.**

1 Écoutez et répétez. 🔊

2 Dites quelles personnes du verbe ont un [ɛ].

a Tu te lèves. Vous vous levez.
b Nous nous promenons. Je me promène.
c Ils appellent. Nous appelons.
d Elle achète. Vous achetez.
e Il se lève. Nous nous levons.

③ **Ne faites pas ça !**

Imaginez cinq conseils donnés aux vacanciers. Utilisez les verbes suivants à l'impératif, comme dans l'exemple.

▶ *Exemple :* Ne vous baignez pas dans la piscine de l'hôtel. Allez à la mer !

1 Se lever.
2 Se coucher.
3 S'habiller.
4 S'acheter.
5 Se promener.

④ **Les vacances, quoi !**

Écrivez le texte suivant au passé composé.

Cette année, en vacances, je me lève tous les jours à 10 heures du matin. L'après-midi, je me baigne, je me repose. Et le soir, avec Luc, nous nous promenons un peu sur la plage, comme des amoureux. Ensuite, on va dans un bar ou en boîte, on s'amuse et on se couche tard. Les vacances, quoi !

Les Français et

Enquête

(chiffres donnés en pourcentages)
(Plusieurs réponses sont possibles.)

①

à la campagne	**34,9**
en ville	**33,9**
à la mer	**28**
à la montagne	**15,1**
autres	**7,1**

②

en France	**82**
à l'étranger	**18**

③

en voiture	**76**
en avion	**11**
en train	**8**
autres	**5**

Découvrez

① **Quelles sont les questions ?**

Lisez les résultats de l'enquête ci-dessus et retrouvez les six questions posées aux Français.

② **Vrai ou faux ?**

Corrigez, dans le texte de la page suivante, les affirmations fausses.

Communiquez

③ **Et vous ?**

Avec votre voisin(e), répondez aux questions posées aux Français sur leurs vacances, et justifiez vos réponses.

▶ *En général, je vais en vacances à la mer parce que j'aime la plage, j'adore me baigner…*

④ **Portrait.**

À partir des réponses données, faites le portrait de votre voisin(e) à l'écrit.

▶ *Il va en vacances…*

⑤ **Devinettes.**

Lisez les portraits écrits par les autres étudiants et dites de qui il s'agit.

les vacances

4
en famille ou chez des amis	**52,2**
à l'hôtel	**15,7**
en résidence secondaire	**10,6**
en location	**7,9**
en camping	**5,7**
autres	**7,9**

5
en juillet ou en août	**77**
pendant les autres mois	**23**

6
les visites (famille, amis)	**43**
le repos	**31**
le sport	**12**
le tourisme culturel	**9**
autres	**5**

Point de vue
par Michel Kling

Des **vacances**, oui…

mais alors **tranquilles !**

Vous aimez être tranquille en vacances ? Alors, ne partez pas en juin et en juillet. Ou bien partez à la montagne, il n'y a pas trop de monde. Eh oui ! les Français partent principalement pendant ces deux mois de l'année et préfèrent aller à la mer : c'est comme ça, ils détestent la campagne et adorent la plage.

Autre conseil. Dormez à l'hôtel et prenez le train ou l'avion : les Français restent en général dans des campings et, pour partir, ils prennent leur voiture… Ils trouvent ça pratique et pas cher.

Et à l'étranger ? Vous ne voulez pas rencontrer trop de Français ? Là, pas trop de problèmes : beaucoup d'entre eux restent en France pour les vacances.

BILAN

1 **Le contraire.**

Trouvez le contraire.

▶ *Exemple : aimer ≠ détester.*

1 la ville.

2 pour.

3 un avantage.

4 le travail.

5 s'amuser.

2 **Interview.**

Imaginez les réponses du dialogue.
Utilisez *en, ça, ne … plus* ou *parce que.*

– Est-ce que vous faites du sport toutes
les semaines ?

– …

– Quels sports préférez-vous, en général ?

– …

– Est-ce que vous sortez souvent au restaurant
ou dans les bars ?

– …

– Et pourquoi est-ce que vous n'allez plus
dans les bars, le soir ?

– …

– Vous préférez aller au cinéma ou regarder
la télévision ?

– …

– Et enfin, est-ce que vous lisez des livres,
des journaux, des magazines ?

– …

3 **Du tout au tout.**

Choisissez la bonne réponse.

1 Ses amies sont … venues à la fête pour
son départ.

  a tous   **b** toutes

2 Je vais … le temps en vacances dans le sud
de la France.

  a tout   **b** tous

3 Oui, elle est partie … la semaine à la campagne.

  a tout   **b** toute

4 Ils font du vélo … les jours !

  a tous   **b** toutes

5 Les Français ne partent pas … en vacances.

  a toutes   **b** tous

6 … mes sœurs travaillent à Paris maintenant.

  a tous   **b** toutes

4 **Le mot de la fin.**

Terminez chacune des phrases.

1 Moi, je ne vais plus au cinéma parce que c'est…

2 Ils n'achètent pas cette maison parce
qu'elle n'est…

3 Nous n'allons plus en vacances à la mer
parce qu'il y a…

4 Non, on n'a pas aimé cette ville parce qu'il n'y a…

a trop de monde.

b pas assez grande.

c pas assez d'activités.

d trop cher.

5 **Week-end en Bretagne.**

Complétez avec les verbes *se coucher,
se baigner, se reposer, se promener*
(deux fois), *se lever* ou *aller* (deux fois)
au passé composé.

> *Cher Boris,*
>
> *Inès et moi, nous sommes en Bretagne
> pour le week-end. Hier matin, nous … assez tôt
> et nous … dans les rues de Dinan. C'est très
> joli ! L'après-midi, nous … à la plage, à Dinard,
> et Inès … ; moi, je ne peux pas, l'eau n'est pas
> assez chaude ! Hier soir, nous … dans un petit
> restaurant et nous … assez tard. Ce matin, Inès
> … à l'hôtel et moi, je … un peu sur la plage. Et
> là, maintenant, nous sommes à Saint-Malo à la
> terrasse d'un café. À bientôt !*
>
> *Bisous.*
> *Anita*

6 **Les bons conseils.**

Associez les phrases.

1 – Nous commençons à 5 heures demain matin.

2 – On part toutes les deux en week-end à La Baule.

3 – Je travaille trop en ce moment. Je suis fatiguée.

4 – Maman, on va à la plage cet après-midi ?

5 – Nous partons dans cinq minutes ?

a – Ah ! oui ? Amusez-vous bien !

b – Baigne-toi dans la piscine de l'hôtel.
C'est bien, non ?

c – Oui, alors, habille-toi !

d – Repose-toi un peu.

e – Alors, couchez-vous tôt ce soir !

Unité 8 : Tout le monde en a parlé !

Leçons	Objectifs communicatifs	Objectifs linguistiques	Savoir-faire
Leçon 29 **Souvenirs,** **souvenirs**	• Rapporter un événement récent • Rapporter des états passés • Rapporter des habitudes passées	• Le passé récent : *venir de* + infinitif • La formation de l'imparfait	• Parler de ses souvenirs d'enfance
Leçon 30 **Fait divers**	• Rapporter des événements passés • Décrire les circonstances de l'action • Rapporter des états d'esprit passés	• Le passé composé, l'imparfait et leur emploi • Contraster les emplois du passé composé et de l'imparfait	• Parler d'un fait divers
Leçon 31 **Ma première** **histoire d'amour**	• Situer des événements dans le temps • Exprimer le but	• La date • Le but : *pour* + infinitif • Les participes passés	• Raconter une première expérience
Leçon 32 **La 2CV...** **et autres** **symboles !**	• Situer des événements dans le temps		• Identifier les symboles de la France

Souvenirs, souvenirs

Quand j'étais petite…

Toutes les semaines, *Actuelles* demande à une femme célèbre de parler de son enfance. Cette semaine, c'est Léna Aréna : elle vient de sortir son nouveau CD, *Rouge*.

Qu'est-ce que vous vouliez faire comme profession, quand vous étiez petite ?
Je me souviens… J'avais six ou sept ans. Ma sœur venait d'entrer dans une école de danse. Alors, je voulais être danseuse comme elle… ou actrice.

Quel type d'enfant est-ce que vous étiez ?
J'étais très calme… trop calme… Je passais des heures dans ma chambre : je lisais, j'écrivais des poèmes, j'écoutais de la musique…

Où est-ce que vous habitiez ?
J'habitais à Paris dans un petit appartement, avec mes parents. Mais, tous les étés, j'allais chez ma grand-mère : elle avait une grande maison au bord de la mer,

GRAMMAIRE

> **Le passé récent : *venir de* + infinitif**

- **Par rapport à un moment présent**
  *Elle **vient de sortir** un nouveau CD.*

- **Par rapport à un moment passé**
  *Ma sœur **venait d'entrer** dans une école de danse.*

> **La formation de l'imparfait**
Il se forme sur le radical de la première personne du pluriel, au présent :
*nous **ven**-ons.*
On ajoute les terminaisons :
-ais, -ais, -ait, -ions, -iez, -aient.

je venais	*il/elle venait*
tu venais	*ils/elles venaient*

quatre formes à la prononciation semblable

nous venions	*vous veniez*

! Une exception : pour *être*, on part du radical de la 2e personne du pluriel du présent : ***ét-**.*

j'étais	*nous étions*
tu étais	*vous étiez*
il/elle était	*ils/elles étaient*

Découvrez

① Interview.

1 **Lisez le titre de l'article et le chapeau. Puis répondez aux questions.**

   a Pourquoi Léna Aréna est-elle interviewée par le magazine *Actuelles* ?
   b Qu'est-ce qu'elle vient de faire ?
   c Quelle est sa profession ?
   d Quel est le thème de l'article ?

2 **Écoutez l'interview et dites si les phrases sont vraies ou fausses.**

   Quand Léna Aréna était petite…
   a elle voulait être chanteuse.
   b elle était très calme.
   c elle n'aimait pas lire.
   d elle habitait à Paris, chez sa grand-mère.
   e elle allait tous les étés en Bretagne.
   f elle parlait à sa poupée Babette.

3 **Relevez les différences (mots, interjections) entre l'article et l'interview. Vérifiez avec la transcription p. 112.**

en Bretagne. J'aimais
beaucoup cette maison…

**Est-ce que vous aviez un
objet, un jouet préféré ?**
Oh ! oui ! J'avais une poupée.
Elle s'appelait Babette.
Quand j'étais triste,
je lui parlais. ●

· FAÇONS DE DIRE ·

▶ **Rapporter un événement récent**
– Elle vient de sortir un nouveau CD.

▶ **Rapporter des états passés**
– J'avais six ou sept ans. J'étais très calme.
Je voulais être actrice.

▶ **Rapporter des habitudes passées**
– Tous les étés, j'allais chez ma grand-mère.

4 Pourquoi ?

Associez les questions et les réponses.

1 Pourquoi est-ce que tu voulais habiter en Italie ?
2 Pourquoi est-ce que vous ne vouliez pas aller au
restaurant avec eux ?
3 Pourquoi est-ce qu'ils voulaient se reposer ?
4 Pourquoi est-ce que tu ne voulais plus aller à
l'école en bus ?
5 Pourquoi est-ce qu'elle voulait être actrice ?

a Parce que je venais d'avoir un vélo à Noël.
b Parce qu'on venait de manger.
c Parce que son frère venait d'entrer dans une
école de théâtre.
d Parce que je venais de rencontrer un garçon là-bas.
e Parce qu'ils venaient de faire douze heures d'avion.

Entraînez-vous

2 Qu'est-ce qu'ils viennent de faire ?

Utilisez *venir de* + infinitif.

▶ *Exemple : Les enfants ! Faites attention !
Je viens de faire le ménage.*

1 Ah ! M. Duval n'est plus là, madame ; il…
2 Tu sais, on change d'appartement ; on…
3 Allô ! Lucie, je suis à la gare ; mon train…
4 Ne donne pas de Coca aux enfants ! Ils…
5 Et vous, qu'est-ce que vous venez de faire ? – …

3 Souvenirs d'enfance.

Conjuguez les verbes à l'imparfait.

Quand j'(être) … petit, nous (habiter) … au
Japon avec mes parents. J'(aller) … dans une
école française, à Tokyo. Mon père (travailler) … à l'Institut de langues, il (être) …
professeur de français. Tous les étés, avec ma
sœur, nous (aller) … chez mon grand-père et
ma grand-mère en France. Ils (avoir) … une
maison à la campagne, à côté de Dijon. Avec
ma sœur, nous (aimer) … beaucoup cette
maison.

Communiquez

5 Micro-trottoir. 👂

Écoutez et répondez aux questions.

Qu'est-ce que les personnes voulaient faire quand
elles étaient petites ? Pourquoi ?

6 À vous !

**Avec votre voisin(e), répondez aux
questions suivantes.**

Qu'est-ce que vous vouliez faire plus tard, quand
vous étiez petit(e) ? Quel type d'enfant est-ce que
vous étiez ? Où est-ce que vous habitiez ?…

Prononcez

7 Opposer consonnes sourdes et sonores. 👂

Écoutez et répétez.

Fait divers

– Sud Radio… Il est midi.
Les nouvelles du jour. Michel Rebourd.

– Bonjour. Un terrible accident vient de se passer sur l'autoroute A9, à côté de Nîmes, entre un camion et cinq voitures : il y a onze blessés. Sur place, notre journaliste, Jérôme Duchamp…

– Oui, bonjour, Michel. Alors voilà, je viens d'arriver sur l'autoroute A9, sur les lieux de l'accident et j'ai devant moi Aline Besson. Quand l'accident est arrivé, Mme Besson traversait, à vélo, un pont au-dessus de l'autoroute. Et elle a tout vu. Alors, madame, qu'est-ce qui s'est passé exactement ?

– Eh bien… Comme tous les matins, je traversais le pont et là… j'ai vu un camion se coucher sur la route. Des voitures suivaient le camion. Elles ont voulu s'arrêter mais elles roulaient trop vite, je pense.

GRAMMAIRE

> **Le passé composé**
Pour rapporter des événements passés :
*Elle **a** tout **vu**. Une voiture **a heurté** le camion.*

> **L'imparfait**
Pour décrire :
– les circonstances de l'action :
*Les voitures **roulaient** trop vite.
La route **était** glissante.*
– une habitude :
*Comme tous les matins, je **traversais** le pont.*
– un état d'esprit :
*J'**étais** terrifiée !*

> **Contraster les emplois du passé composé et de l'imparfait**
*Elle **traversait** le pont quand l'accident **est arrivé**.*

Découvrez

❶ **Qu'est-ce qui s'est passé ?**

1 Quels sont les faits ? Écoutez le reportage radio et répondez aux questions.

a Où l'accident s'est-il passé ?
b Il y a eu combien de blessés ?
c Qu'est-ce qui est arrivé au camion ?
d Qu'est-ce que les voitures ont voulu faire ?
e Et qu'est-ce qu'elles ont fait ?

2 Quelles sont les circonstances de l'accident ? Écoutez à nouveau le reportage et répondez aux questions.

a Pourquoi est-ce que les voitures n'ont pas pu s'arrêter ?
b Pourquoi est-ce que Mme Besson a vu l'accident ?

❷ **Passé composé ou imparfait ?**

Quand vous répondez aux questions de l'activité 1, quel temps utilisez-vous pour :

1 décrire les faits ?
2 décrire les circonstances ?

Et, en plus, il venait de pleuvoir, la route était glissante…
Une première voiture a heurté le camion, et puis une deuxième, une troisième… J'étais terrifiée. Vraiment !

·FAÇONS DE DIRE·

▶ **Rapporter des événements passés**
– J'ai vu un camion se coucher sur la route.

▶ **Décrire les circonstances de l'action**
– Quand l'accident est arrivé, la route était glissante.

▶ **Rapporter des états d'esprit passés**
– J'étais terrifiée. Vraiment !

Communiquez

⑤ **Pas tous d'accord !** 〇〇
Écoutez les trois témoignages et regardez le dessin. Quel témoignage est correct ?

Entraînez-vous

③ **Mais pourquoi ?**
Associez les phrases.

1 La voiture n'a pas pu s'arrêter ;
2 Il n'a pas pris son chien avec lui ;
3 Ils n'ont pas pu entrer dans la salle ;
4 Elle a acheté un appartement ;
5 J'ai retrouvé son sac ;

a l'autre était trop petit.
b c'était interdit dans l'hôtel.
c la route était glissante.
d il était chez moi.
e ils n'avaient pas leurs billets.

④ **Avant**…
Proposez quatre phrases sur le modèle suivant.

▶ *Avant, j'habitais à Paris. Et un jour, j'ai trouvé un travail à Montréal.*
Avant, … Et un jour, …

⑥ **Au voleur !**
On vous a volé votre sac/votre voiture…
Racontez à votre voisin(e) ce qui s'est passé et les circonstances du vol.
Votre voisin(e) vous pose des questions.

Prononcez

⑦ **Les oppositions [f] et [v], [ʃ] et [ʒ].** 〇〇
1 Opposer [f] et [v].
Écoutez et dites si vous entendez [f] ou [v]. Puis répétez les deux phrases.

2 Opposer [ʃ] et [ʒ].
Écoutez et dites si vous entendez [ʃ] ou [ʒ]. Puis répétez les deux phrases.

Ma première histoire

*Aujourd'hui, vous le savez tous,
c'est le 14 février, la Saint-Valentin,
la fête de l'amour, de tous les amoureux !*
*Ah ! l'amour ! Mais est-ce que vous vous
souvenez de votre première histoire d'amour ?*

1 Ma première histoire d'amour ?
Oh ! là, là !... Ah ! oui, j'avais
quinze ans et j'étais en vacances
en Irlande pour apprendre l'anglais.
Il s'appelait Tom, il était grand,
il était blond… il était très beau !

2 Ah ! oui, je me souviens très bien.
Aujourd'hui, c'est ma femme.
Nous nous sommes rencontrés
dans le train Paris-Bordeaux.

C'était en 1980, je venais d'avoir vingt ans.
Elle, elle en avait vingt-deux. Et notre premier
bébé est né cinq ans plus tard.

·GRAMMAIRE·

> **La date**
> *le 14 février*
> *en 1980*
> *de 1992 à 1994*
> *jusqu'en 94*
> *cinq ans plus tard*
> *à partir de seize ans*

> **Le but :** *pour* **+ infinitif**
> *J'étais en Irlande **pour apprendre**
> l'anglais.*

> **Les participes passés**
> être : *été*
> vivre : *vécu*
> naître : *né*

Découvrez

1 **Je me souviens…**

1 Écoutez l'introduction du reportage et
répondez aux questions.

a Quelle est la date du reportage ?
b De quelle fête parle-t-on ?
c Quelle est la question posée par
le journaliste ?

2 Écoutez ce que les personnes disent et
complétez le tableau (on ne peut pas
toujours répondre aux questions).

▶ *Leur première histoire d'amour…*

	1	2	3	4
C'était en quelle année ?	…	…	…	…
Où s'est passée la rencontre ?	…	…	…	…
Ils avaient quel âge ?	…	…	…	…

d'amour

3 J'avais huit ans. Il s'appelait
Mathieu et, dans la classe,
c'était mon voisin. J'ai été très
amoureuse de lui de… 92 à… 94.
Eh oui ! jusqu'en 94 !
Deux ans ! Après, il est allé
dans une autre école…

4 Mon premier amour ? Ah ! oui,
bien sûr ! J'allais tous les ans
chez ma grand-mère pour passer
les vacances. Mais, à partir de
seize ans, je suis parti avec
des copains, à la mer. Et là,
un été, j'ai rencontré
Lou… C'était en 75.

·FAÇONS DE DIRE·

▶ **Situer des événements dans le temps**
– C'est le 14 février.
– C'était en 1980.
– Notre premier bébé est né cinq ans plus tard.

▶ **Exprimer le but**
– J'allais chez ma grand-mère pour passer
les vacances.

4 **C'est évident !**

Imaginez la réponse en utilisant
pour + infinitif.

1 Pourquoi est-ce qu'elle est partie en Afrique ?
2 Pourquoi est-ce que tu as téléphoné ?
3 Pourquoi est-ce que vous venez à vélo
et pas en voiture ?
4 Pourquoi est-ce qu'il va dans une école
de langues ?
5 Pourquoi est-ce que tu vas au supermarché ?

Communiquez

5 **Le casting.**

Une jeune actrice se présente pour
un casting. Écoutez l'enregistrement
et relevez toutes les dates. Dites à quoi
elles correspondent.

6 **La première fois…**
Racontez à votre voisin(e) :

1 votre première histoire d'amour ;
2 vos premières vacances ;
3 votre premier voyage en train ou en avion ;
4 votre premier jour d'école.

2 **C'était quand ?**
Écoutez à nouveau le reportage et complétez.

1 C'est … 14 février.
2 C'était … 1980.
3 Notre premier bébé est né cinq ans…
4 J'ai été amoureuse de lui … 92 … 94.
5 Eh oui, … 94 !
6 … seize ans, je suis parti avec des copains, à la mer.

Entraînez-vous

3 **La vie amoureuse de Rodin.**
À partir des indications suivantes,
résumez la vie amoureuse du sculpteur
Auguste Rodin. Utilisez *le, en, de… à,
jusqu'en, à partir de, … plus tard*.

12 novembre 1840	Il naît à Paris.
1864	Il rencontre Rose Beuret.
1864-1917	Ils vivent ensemble.
1866	Ils ont un enfant.
1883	Il rencontre Camille Claudel.
1883-1898	Ils ont une histoire d'amour.

▶ *Auguste Rodin est né…*

Prononcez

7 **Opposer [i], [y] et [u].**
Écoutez et dites si vous entendez [i], [y]
ou [u].

1 Il est venu chez vous ?
2 Elle a mis une jupe rouge.
3 Vous avez lu le livre ?
4 Elle est partie sur la route.
5 Elle a mis une blouse neuve.

La 2CV... et autres

Quatre roues sous un parapluie

Elle s'est d'abord
appelée la TPV,
la Toute Petite Voiture.
Eh oui ! Et puis,
plus tard, la 2CV[1].
Aujourd'hui, en France,
tout le monde l'appelle
la « deudeuche ».
Elle est célèbre
dans tous les pays
du monde. Mais est-ce
que vous connaissez
son histoire ?

Tout a commencé en 1935. Pierre Boulanger, le directeur de Citroën, voulait sortir une nouvelle voiture, petite et pas chère : il a alors demandé de fabriquer « quatre roues sous un parapluie »...

Quatre ans plus tard, le 3 septembre 1939, la première 2CV est née... et, le 4 septembre, chez Citroën, on a tout arrêté ! C'était la guerre...

Finalement, on a présenté la nouvelle Citroën aux Français le 7 octobre... 1948. Et, à partir de là, la « deudeuche » a tout fait : elle a voyagé dans le monde, elle a travaillé pour la poste, elle a été taxi... et elle a fait du cinéma ! Célèbre. Elle était célèbre !

Jusqu'en 1990... Parce que le 27 juillet 1990, on a arrêté de fabriquer la petite Citroën préférée des Français...

Et aujourd'hui ? Eh bien, aujourd'hui, il existe un club, le Club des Amis de la 2CV[2]. Et, tous les ans, ces amis de la « deudeuche » se rencontrent en France, en Finlande, en Hollande mais aussi dans d'autres pays du monde.

1. Prononcer : « la deux-chevaux ».
2. http://www.amis2CV.org/

Découvrez

❶ De quoi ça parle ?

Lisez le titre et le chapeau de l'article.
Dites quel est le sujet de l'article.

❷ Repérages.

Lisez l'article et :

1 relevez tous les noms donnés à la 2CV ;
2 relevez toutes les indications de temps.

❸ En résumé.

Complétez le tableau ci-dessous
sur le modèle suivant.

Quand ?	Quoi ?
1 *en 1935*	*Pierre Boulanger a demandé de fabriquer une petite voiture pas chère.*
2 ...	
3 ...	
4 ...	
5 ...	
6 ...	

symboles !

1

2

3

4

5

6

7

8

9

10

11

Communiquez

4 Les symboles de la France.

1 Observez les photos et associez-les à un des mots suivants.

a le TGV – **b** le vin – **c** Marianne – **d** la tour Eiffel – **e** la baguette – **f** la haute couture – **g** le champagne – **h** le camembert – **i** le tour de France – **j** le croissant – **k** le coq

2 Avec votre voisin(e), choisissez vos trois symboles de la France. Comparez avec les autres groupes.

5 Moi, la tour Eiffel.

Utilisez les informations ci-dessous et, à la manière du texte sur la 2CV, écrivez un petit article sur la tour Eiffel.

- Née le 31/03/1889
- Père : Gustave Eiffel
- Coût de la construction : 1 200 000 €
- Trois étages, grande, brune, célèbre
- Utilisée pour la radio, la télévision

BILAN

1 **Mots croisés.**

Lisez les titres de journaux et de magazines

> ───────────────
> ### QUINZE ... (2)
> ### SUR L'AUTOROUTE A1
> *On ne connaît pas*
> *encore les ... (1) de l'... (5).*

> **Cette semaine,**
> **dans *Le Journal du mercredi*,**
> **un grand ... (6) sur**
> ## les Français en vacances.

> ### LES DEUX CÉLÈBRES ACTRICES
> ### RACONTENT LEURS ... (4) D'ÉCOLE.
> Un ... (3) à lire pour connaître
> un peu leur enfance.

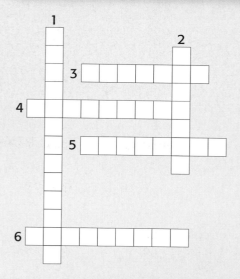

et complétez la grille de mots croisés.

2 **C'est juste fait !**

Imaginez la fin de la phrase. Utilisez *venir de* + infinitif.

▶ *Exemple : Il fumait mais il vient d'arrêter.*
1 Ils étaient au cinéma mais...
2 J'avais beaucoup de travail mais...
3 Elle était là ce matin mais...

4 Nous avions une voiture mais...
5 Je n'avais pas de nouvelles d'elle mais...

3 **Souvenirs d'école.**

Écrivez les souvenirs de Bertrand à l'imparfait.

❚ 1975 : Bertrand a 17 ans. Il est étudiant
❚ dans une école de sport.
❚ « Je vais tous les matins à la piscine : je fais
❚ deux heures de natation par jour. Ensuite,
❚ avec les autres étudiants, nous faisons un
❚ footing et nous allons une heure dans une
❚ salle de musculation. L'après-midi, j'ai
❚ quatre heures de cours. Le soir, je regarde la
❚ télé, je lis un peu et je me couche toujours
❚ tôt. »

Aujourd'hui, Bertrand a 45 ans. Il se souvient :

« J'allais...

4 **Passé composé ou imparfait ?**

Conjuguez les verbes au passé composé ou à l'imparfait.

1 Hier soir ? Non, je ... au cinéma avec elles. J'... trop de travail.
   `ne pas aller` / `avoir`

2 Oui, oui, ils ... à la maison parce qu'il ... .
   `rester` / `pleuvoir`

3 Nous ... un footing toutes les semaines et, un jour, nous ... .
   `faire` / `arrêter`

4 Les voitures ... trop vite et il y ... un accident.
   `rouler` / `avoir`

5 Quand tu ..., j'... sous la douche.
   `téléphoner` / `être`

6 Nous ... très tôt ce matin et vous ... .
   `rentrer` / `dormir`

5 **Méli-mélo.**

Mettez les mots dans l'ordre pour former une phrase.

1 entreprise – j' – 1995 – ai – de – travaillé – cette – 1999 – dans – à
2 accident – s' – à – 27 – est – l' – Lyon – octobre – le – passé – 2002
3 1977 – Italie – mari – et – jusqu' – son – elle – en – ont – en – habité
4 pris – il – 1988 – de – partir – théâtre – cours – a – des – à – de

Unité 9 :
On verra bien !

Leçons	Objectifs communicatifs	Objectifs linguistiques	Savoir-faire
Leçon 33 Beau Fixe	• Exprimer une prévision • Exprimer une probabilité • Exprimer une certitude	• Le futur simple	• Parler du temps qu'il fera
Leçon 34 Projets d'avenir	• Faire des projets, exprimer une intention • Situer dans le temps	• L'expression du futur : présent, futur proche, futur simple • Des indications de temps au futur	• Évoquer des projets
Leçon 35 Envie de changement	• Exprimer une condition • Faire des projets, exprimer une intention	• La condition/L'hypothèse : *si* + présent, futur • Le moment : *quand* + futur • Autres verbes irréguliers au futur	• Évoquer des projets
Leçon 36 Un jour peut-être...	• Faire des projets, exprimer une intention		• Parler de l'avenir

Beau fixe

– Tu peux allumer la radio, s'il te plaît ?
Je vais en Bretagne demain et je veux
savoir quel temps il fera.

« … Et maintenant, la météo de demain.
Florence Arnaud.

… Vous habitez à Strasbourg ou à Lille ?
Eh bien, demain, sortez vos parapluies !
Eh oui, il pleuvra toute la journée à l'est et au nord de la France.
À l'ouest et au centre du pays, vous aurez du soleil le matin mais
l'après-midi, attention : des nuages arriveront par la Bretagne
et vous aurez peut-être un peu de pluie. Au sud, vous avez de
la chance : le soleil brillera certainement toute la journée.
Pour les températures, dans l'après-midi, il fera 15 degrés
à Lille, 17 à Paris, 20 à Brest et à La Rochelle,
18 à Saint-Étienne et 23 à Marseille. Bonne journée. »

– Et voilà ! Oh !

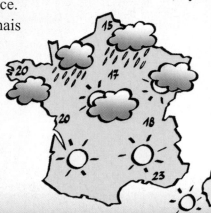

GRAMMAIRE

> **Le futur simple**
arriver

j'arriver-ai	*nous arriver-ons*
tu arriver-as	*vous arriver-ez*
il/elle arriver-a	*ils/elles arriver-ont*

De même :
finir : *je finirai*
apprendre : *j'apprendrai*

! Formes irrégulières du futur

être : *je **se**rai, tu seras, il/elle sera,
nous serons, vous serez,
ils/elles seront*

avoir : *j'**au**rai, tu auras, il/elle aura,
nous aurons, vous aurez,
ils/elles auront*

faire : *je **fe**rai…*
aller : *j'**i**rai…*
pouvoir : *je **pour**rai…*
voir : *tu **ver**ras…*
pleuvoir : *il **pleu**vra*

Découvrez

❶ **Quel temps fera-t-il ?** 💿

Écoutez le dialogue et regardez
les deux cartes de France. Dites quelle
carte correspond au temps décrit à la radio.

❷ **Repérages.**

1 Repérez les trois villes suivantes
sur la carte de France (p. 106).
Écoutez à nouveau le dialogue et dites
quel temps il fera demain. 💿

a Lille
b Brest
c Marseille

2 Lisez le dialogue et relevez les verbes
utilisés pour faire des prévisions
météorologiques : à quel temps sont-ils ?

– Mais ne t'inquiète pas ! Tu verras,
je suis certain qu'il ne pleuvra pas.

– Tu crois qu'il fera beau, toi ?

– Mais oui, j'en suis sûr…

FAÇONS DE DIRE

▶ **Exprimer une prévision**
– Il pleuvra toute la journée à l'est et au nord.

▶ **Exprimer une probabilité**
– Vous aurez peut-être un peu de pluie.
– Je crois qu'il fera beau.

▶ **Exprimer une certitude**
– Je suis certain qu'il ne pleuvra pas.
– J'en suis sûr.
– Le soleil brillera certainement toute la journée.

Communiquez

5 Vous êtes sûr ?
Écoutez et dites, chaque fois, si c'est peu probable, probable ou certain.

6 Bulletin météo.
Dessinez, avec votre voisin(e), la carte de la météo de votre pays, pour demain. À deux, présentez la météo à la classe.

Entraînez-vous

3 Est-ce qu'ils le feront ?
Conjuguez les verbes au futur simple.

1 Est-ce que vous (avoir) le temps de faire les courses ?
2 Ils (arriver) à la gare avant nous.
3 Je suis sûr qu'elle (faire) bien ce travail.
4 Mais oui, tu (être) amoureuse un jour, ne t'inquiète pas.
5 Nous (finir) certainement très tard.

4 Tu crois ?
Répondez aux questions par une probabilité ou une certitude.

1 Tu crois qu'ils viendront ?
2 Tu crois que je pourrai faire ce travail ?
3 Tu crois qu'elle dira oui ?
4 Tu crois que nous aurons le temps ?
5 Tu crois que vous serez à 14 heures au cinéma ?

Prononcez

7 Les consonnes doubles.
Écoutez et répétez.

1 Ils apprennent la grammaire.
2 Il a trouvé l'appareil par une annonce.
3 Ils attendent le bulletin météo.
4 Corrigez vos erreurs.
5 Classez les mots en deux colonnes.

Projets d'avenir

– Allô ! Aude… C'est Léa. Bravo pour ton bac !

– Merci. Toi aussi, félicitations !

– Alors ? Qu'est-ce que tu vas faire ?
Tu as des projets ?

– Ah ! oui, bien sûr… Je vais d'abord me reposer !
Je pars demain en vacances au Sénégal… Deux semaines.

– Au Sénégal ! Ben, ce n'est pas comme ici !
Là, tu es sûre qu'il fera beau !… Et après ?

– Après ? Bien… j'essaierai de trouver un travail.
Ce n'est pas facile ! Peut-être à Strasbourg,
pour commencer. Mon frère ouvre un resto dans un ou
deux mois… Enfin, je ne sais pas. On verra… Et toi ?

– Eh bien, moi, je n'ai pas d'argent, donc je ne prends pas de vacances !
Enfin, pas tout de suite, quoi ! Et je commence à travailler la semaine prochaine.
Je vais vendre des glaces tout l'été sur la plage à Biarritz.
Et puis, en octobre, j'entre à la fac.
Et on pourra peut-être se voir en septembre ? Je serai à la maison.

GRAMMAIRE

> **L'expression du futur**

- **Avec le présent**
  *Je **pars** demain au Sénégal.*

- **Avec *aller* + infinitif**
  *Je **vais vendre** des glaces sur la plage.*

- **Avec le futur simple**
  *Après, j'**essaierai** de trouver un travail.*

> **Des indications de temps au futur**
  bientôt
  demain
  la semaine prochaine
  dans un mois

Découvrez

① **Qu'est-ce qu'elles vont faire ?**

Écoutez le dialogue et dites quels
sont les projets d'Aude et de Léa.

② **Repérages.**

Lisez le dialogue.

1 Relevez les différents temps utilisés
pour exprimer le futur.

2 Repérez les indications de temps.
  ▶ *D'abord…*

– Bon, eh bien, d'accord.
On s'appelle, alors ! Je t'embrasse.

– Moi aussi. À bientôt.

·⌐FAÇONS DE DIRE⌐·

▶ **Faire des projets, exprimer une intention**
– Je vais d'abord me reposer.
Et après, j'essaierai de trouver un travail.

▶ **Situer dans le temps**
– Je commence la semaine prochaine.
– Tout de suite.
– Demain.
– Dans un ou deux mois.

④ **Qu'est-ce qu'ils ont l'intention de faire ?**

Indiquez quels sont les projets
des différentes personnes.

▶ *Exemple : Téléphoner à Léa – faire les courses.*
*→ Je vais **d'abord** téléphoner à Léa et, **après**,*
je ferai les courses.

1 Dîner au resto – aller au cinéma. Nous…

2 Se reposer – finir son travail. Elle…

3 Aller à la banque – passer à la poste. Tu…

4 Lire le journal – sortir le chien. Je…

Communiquez

⑤ **Tu seras là ?** 👄

Écoutez le dialogue et répondez
aux questions.

1 Quand est-ce que Pierre et Philippe vont
dîner ensemble ?

2 Pourquoi est-ce qu'ils ne peuvent
pas se rencontrer avant ?

⑥ **À vous !**

Dites à votre voisin(e) quels sont
vos projets :

1 pour demain ;

2 pour le week-end ;

3 pour les prochaines vacances ;

4 pour l'année prochaine.

Entraînez-vous

③ **C'est pour quand ?**

Complétez les phrases avec : *tout de suite
– bientôt – ce soir – dans une semaine –
l'année prochaine.*

▶ *Exemple : Ah, je suis désolée, M. Garnier n'est
pas là aujourd'hui. Mais il sera là **demain**.*

1 On peut dîner ensemble ce midi ou … ?

2 Nous allons rester deux ou trois jours chez
mes parents mais, …, pas de problème :
nous serons à la maison.

3 Ne t'inquiète pas ! Ils vont … arriver.

4 Elle n'a pas fini d'écrire son nouveau livre ;
il sortira seulement … .

5 Excusez-moi, madame, j'arrive … .

Prononcez

⑦ **Consonne + [R].** 👄

1 Écoutez et dites si vous entendez [pR]
ou [bR], puis répétez le mot.

2 Écoutez et dites si vous entendez [fR]
ou [vR], puis répétez le mot.

Envie de changement

– Alors, qu'est-ce que tu en penses ?

– Ouais… J'aime bien. Il est grand, il est clair…
et puis, il est calme, ça c'est bien ! Mais, si on
l'achète, il faudra faire des travaux. Tu as vu
la couleur des murs dans les chambres ?

– La couleur des murs, ce n'est pas un problème : un peu de
peinture et puis c'est bon !

– Oui, d'accord, mais le salon et le séjour sont un peu petits, non ?

– Tu sais, si on supprime le mur entre les deux pièces, cela fera un
grand séjour-salon… On pourra facilement mettre tous nos meubles.

– C'est vrai, tu as raison. Et quand on aura un peu d'argent,
on pourra peut-être installer une cheminée, là dans le coin ?

– Et pour la cuisine et la salle de bains ?

– Écoute, ça, on verra plus tard ! On changera peut-être la cuisine dans
un an ou deux mais pas tout de suite ! Ça va faire beaucoup de dépenses.

– Bon, alors, qu'est-ce qu'on fait ? On l'achète ou pas ?

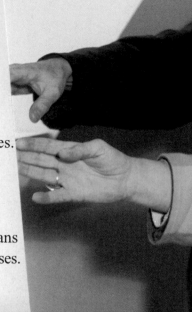

·GRAMMAIRE·

> **La condition/L'hypothèse :**
  si + présent, futur
  *Si on supprime le mur entre
  les deux pièces, cela fera un
  grand séjour-salon.*

> **Le moment : quand + futur**
  *Quand on aura un peu d'argent,
  on pourra peut-être installer
  une cheminée.*

> **Autres verbes irréguliers au futur**
  il faut : *il faudra*
  voir : *on verra*

Découvrez

① **Que vont-ils faire ?**

  1 Écoutez les deux premières phrases du
  dialogue et répondez aux questions.

  a Qui sont les deux personnes qui parlent ?
  b Quel est le sujet de leur discussion ?

  2 Écoutez tout le dialogue et dites quels
  sont les travaux envisagés :
  a en premier ; **b** plus tard.

Entraînez-vous

② **D'accord, mais quand ?**

  Imaginez la réponse.

  ▶ *Exemple :* *Maman, je peux partir en vacances
  avec mes copains ?*
  → *Tu pourras partir en vacances avec tes
  copains quand tu seras grand.*

  1 Alors, on achète cette maison ?
  2 Je peux commencer à manger ?
  3 Tu ne vas plus au cinéma ?
  4 Papa, on peut prendre ta voiture ?

· FAÇONS DE DIRE ·

▶ **Exprimer une condition**
– Si on l'achète, il faudra faire des travaux.

▶ **Faire des projets,
exprimer une intention**
– Quand on aura un peu d'argent,
on pourra peut-être installer une cheminée.

Communiquez

⑤ **À quelle condition ?** 👓

1 Écoutez et relevez les questions posées
au début de chaque dialogue.

2 Écoutez à nouveau et répondez.

a Dialogue 1 :
Quand et à quelle condition iront-ils
au cinéma ?

b Dialogue 2 :
À quelle condition partiront-ils en vacances ?

c Dialogue 3 :
À quelle condition iront-ils à la fête ?

⑥ **La maison de mes rêves.**

Faites la description de la maison de vos
rêves à votre voisin(e).

▶ *Si je peux, plus tard, j'achèterai une maison au
bord de la mer, une maison avec une piscine…*

Prononcez

⑦ **Les voyelles arrondies.** 👓

Sept voyelles sont prononcées avec la
bouche arrondie en français :
[y], [u], [ø], [œ], [o], [ɔ] et [ə].
Prononcez, puis écoutez.

1 Tu es heureux ?
2 On peut se retrouver au port à deux heures.
3 Tout est bon chez eux.
4 Tu es venu au bureau pour me voir ?
5 Il faut d'abord trouver un jour et une heure
pour le rendez-vous.

③ **Et si… et si…**

Associez les phrases.

1 Si vous supprimez ce mur,
2 Si un jour, nous avons des enfants,
3 S'il achète cet appartement,
4 Si je pars en vacances,

a il faudra changer d'appartement.
b vous pourrez habiter chez moi en juillet.
c il changera la couleur des murs.
d cela fera une grande pièce.

④ **Trouvez des excuses.**

Répondez négativement et trouvez
une excuse.

▶ *Exemple : Si tu achètes cet appartement,
tu changeras la salle de bains ?
→ Non, je ne la changerai pas. Ça va
faire beaucoup de dépenses.*

1 Si elle vous invite, vous irez à la fête ?
2 S'il est là ce soir, il pourra téléphoner ?
3 Si on a le temps demain, on ira au cinéma ?
4 Si vous allez à Paris, vous emmènerez les enfants ?
5 S'il fait beau, nous ferons du vélo ?

Un jour peut-être...

En 1900, les Français mangeaient
328 kg de pain par personne et par an.
Aujourd'hui, ils en mangent
58 kg en moyenne.
Et demain ?
Si vous ne mangez pas de pain,
un jour, peut-être, il n'y aura plus
de boulangers et vos enfants
ne connaîtront pas le goût fantastique
de la baguette ou du pain bagnat.
Et que deviendront alors le fromage
et le vin, s'il n'y a plus de pain ?

Le pain, mangez-en !

Découvrez

① Qu'est-ce qui se passera si... ?

1 **Regardez le document ci-dessus et choisissez la bonne réponse.**

Qu'est-ce que c'est ?

a Une petite annonce. b Un article. c Une publicité.

2 **Lisez le document et répondez aux questions.**

a Quel est le message de ce document ?

b Quelle différence y a-t-il entre 1900 et aujourd'hui ?

c Si nous ne mangeons plus de pain, quelles seront les conséquences ?

② Et quoi encore ?

Imaginez d'autres conséquences possibles.

▶ *Si vous ne mangez pas de pain, il n'y en aura plus/vos enfants ne connaîtront pas le goût de la baguette...*

Si vous ne mangez pas de pain, un jour, il n'y en aura plus.

③ **Demain, ce sera comment ?**

Lisez les phrases ci-dessous et complétez la liste par écrit.

▌ **Un jour peut-être…**
▌ tout le monde parlera la même langue,
▌ il y aura une télé dans toutes les pièces
▌   de la maison,
▌ on n'ira plus au cinéma,
▌ il n'y aura plus d'écoles,
▌ dans tous les pays du monde, il y aura
▌   assez à manger…

Communiquez

④ **Qu'en pensez-vous ?**

Lisez les phrases de l'activité 3 et, avec votre voisin(e), dites si c'est peu probable, probable ou certain.

▶ *Exemple : Je crois que tout le monde parlera la même langue, un jour. Tu verras.*
  → *Eh bien, moi, je suis sûr(e) que non. Ça n'arrivera pas…*

⑤ **Une page de publicité.**

Sur le modèle du pain, choisissez un sujet (les journaux, l'école, le cinéma…) et, avec votre voisin(e), imaginez une page de publicité.

BILAN

① L'intrus.

Trouvez l'intrus.

▶ *Exemple : sûr – certain – **peut-être***

1 tout de suite – dans une semaine – maintenant
2 supprimer – mettre – installer
3 la météo – le temps – les projets
4 à bientôt – je t'embrasse – bisous
5 ensuite – après – d'abord

② Entretien avec un écrivain.

Complétez les phrases avec *l'année prochaine, ensuite, d'abord, tout de suite, dans un mois, trois semaines.*

– Patrick Moreno, quels sont vos projets ?

– Mes projets ? Oh ! là, là ! Je vais … terminer mon prochain livre et … je pars … au Maroc, en vacances. …, je serai au Japon : je vais rencontrer des étudiants japonais à l'université de Tokyo et de Kanazawa. Et j'ai aussi un autre projet de livre pour … . Eh oui ! Mais là, …, je vais prendre du café. Vous en voulez peut-être ?

③ Passé, présent ou futur ?

Choisissez la bonne réponse.

1 Quand j'étais petite, je … beaucoup la télé.
   a regardais
   b regarderai

2 Dans un mois, je … sur la plage.
   a suis allé
   b serai

3 Si nous … assez d'argent, nous pourrons peut-être changer la voiture.
   a avons
   b aurons

4 Je vais au cinéma et, après, Pierre et moi, nous … au resto.
   a avons dîné
   b allons dîner

5 Quand il … beau, on pourra sortir.
   a fait
   b fera

6 L'année dernière, ils … une maison à la campagne.
   a ont acheté
   b vont acheter

④ C'est sûr ou pas ?

Conjuguez les verbes au futur simple.

1 Je suis sûr qu'elles … à la fête, samedi soir. | venir |
2 Tu crois qu'elle … là à cinq heures et quart ? | être |
3 Vous … bientôt des nouvelles de Magda. | avoir |
4 Est-ce que tu … téléphoner à Marie demain ? | pouvoir |
5 Je la … peut-être à Berlin, la semaine prochaine. | voir |
6 Je suis certaine que vous … habiter là-bas, un jour. | aller |

⑤ Si…

Imaginez la fin de la phrase.

▶ *Exemple : Si vous partez vivre à la campagne, tu verras, vous vous ennuierez.*

1 Si j'ai le temps, …
2 S'il ne fait pas beau demain, …
3 Si nous achetons cette maison, …
4 Si vous allez à Paris ce week-end, …
5 Si, un jour, je suis célèbre, …

⑥ Vous verrez !

Associez les phrases.

1 Quand vous viendrez à la maison, …
2 Quand j'aurai 18 ans, …
3 Quand mon mari sera à la retraite, …
4 Quand nous serons en vacances, …
5 Quand vous irez dans ce restaurant, …

a nous irons habiter sur la Côte d'Azur.
b je serai en voyage en Égypte.
c vous verrez, tout est excellent !
d nous vous enverrons une carte postale.
e je m'achèterai une voiture.

➊ Compréhension de l'oral

Format de l'épreuve : Réponse à des questionnaires de compréhension portant sur trois ou quatre très courts documents enregistrés ayant trait à des situations de la vie quotidienne. (2 écoutes)
– Durée maximale des documents : 5 minutes
– Durée de l'épreuve : 25 minutes environ

Vous allez entendre deux fois un document. Vous aurez 30 secondes de pause entre les deux écoutes puis 30 secondes pour vérifier vos réponses. Lisez les questions.
Répondez aux questions en cochant ☑ la bonne réponse ou en écrivant l'information demandée. 🎧

1. La première personne aime peindre :
a Vrai
b Faux.
c On ne sait pas.

2. Qu'est-ce qu'elle déteste ?

3. La deuxième personne est sportive :
a Vrai
b Faux.
c On ne sait pas.

4. Elle aime la lecture :
a Vrai
b Faux.
c On ne sait pas.

5. Qu'est-ce qu'elle déteste ?

6. Quel sport aime faire la troisième personne ?

7. Elle déteste la pluie :
a Vrai
b Faux.
c On ne sait pas.

8. Elle déteste faire les courses en général :
a Vrai
b Faux.
c On ne sait pas.

9. La quatrième personne adore jouer au tennis :
a Vrai
b Faux.
c On ne sait pas.

10. Qu'est-ce qu'elle déteste ?

➋ Production orale

Format de l'épreuve : 10 minutes de préparation suivi de 6 à 8 minutes de passation.

Cette épreuve comporte trois parties. Pour la deuxième et troisième partie, vous aurez 10 minutes de préparation.

Première partie – Entretien dirigé *(1 minute 30 environ)*

Après avoir salué votre examinateur, vous vous présenterez (parlez de vous, de votre famille, de vos amis de vos études, de vos goûts, des animaux que vous aimez, etc.). L'examinateur vous posera des questions complémentaires.

Deuxième partie – Monologue suivi *(2 minutes environ)*

Deux sujets au choix proposés par l'examinateur.

– Aimez-vous les animaux de compagnie ? Jouent-ils un rôle important pour vous ou pensez-vous que certaines personnes leur donne trop de place dans leur vie.

– Écrivez-vous souvent des lettres ou des messages électroniques ? À qui et pourquoi ? Qu'est-ce que vous aimez mieux : les lettres ou les messages électroniques. Dites pourquoi.

Troisième partie – Exercice en interaction (3 ou 4 minutes environ)

Deux sujets au choix proposés par l'examinateur.
Vous devez simuler un dialogue avec l'examinateur afin de résoudre une situation de la vie quotidienne.
Vous montrez que vous êtes capable de saluer et d'utiliser des règles de politesse.

– Après votre cours de français, vous invitez un(e) des étudiant(e)s de votre cours à dîner chez vous. Vous lui indiquez l'heure, le chemin et vous lui dites ce qu'il/elle doit apporter.
Vous pouvez vous aider de ce plan pour lui dire comment aller chez vous à pied :

L'examinateur joue le rôle de l'autre étudiant(e).

– Vous voulez aller au cinéma avec un(e) ami(e). Vous discutez du choix du film, du jour et de l'heure.
L'examinateur joue le rôle de l'ami(e).

Cinéma Le Rex

Rue Pierre-Loti – 17000 La Rochelle
Tél. 05 92 68 04 04
Entrée : 7 € (étudiants : 4 €) – Lundi : 4 €

L'homme du train (1 h 28)
de Patrice Leconte, avec Johnny
Hallyday, Jean Rochefort…
Lundi, mardi jeudi, vendredi :
19 h 45 – 22 h 15
Mercredi, samedi, dimanche :
14 h – 16 h 30 – 19 h 45 – 22 h 15

Être et avoir (1 h 44)
de Nicolas Philibert
Tous les jours : 16 h – 18 h

Le pianiste (2 h 30)
de Roman Polanski, avec Adrien
Brody et Thomas Kretschmann
Tous les jours :
14 h – 16 h 45 – 19 h 45 – 22 h 30

Adolphe (1 h 42)
de Benoît Jacquot, avec Isabelle
Adjani et Stanislas Merhar
Lundi, mardi, jeudi, vendredi :
14 h – 18 h – 20 h 15
Mercredi, samedi, dimanche :
14 h – 16 h 30 – 19 h 45 – 22 h 30

Carte de la francophonie

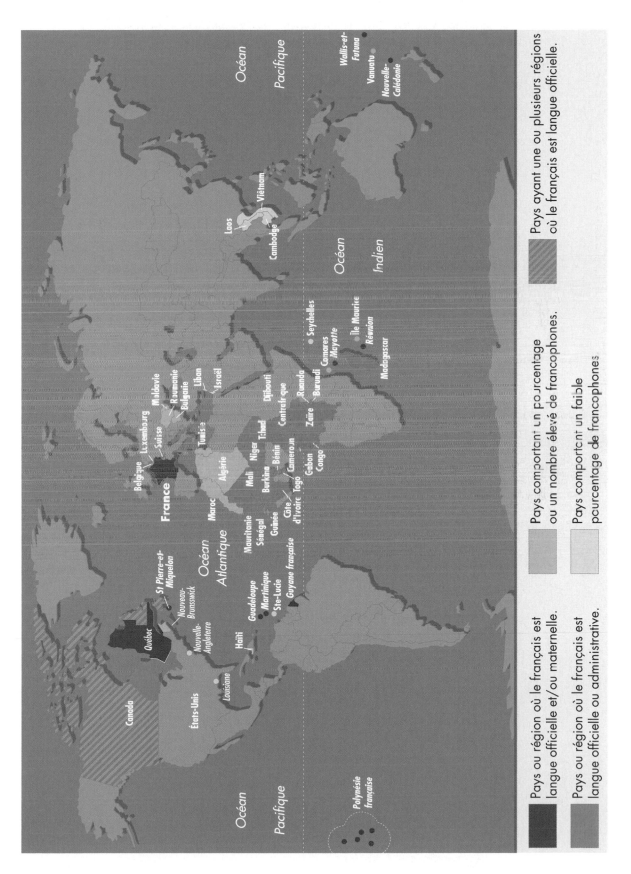

Pays ou région où le français est langue officielle et/ou maternelle.

Pays ou région où le français est langue officielle ou administrative.

Pays comportant un pourcentage ou un nombre élevé de francophones.

Pays comportant un faible pourcentage de francophones.

Pays ayant une ou plusieurs régions où le français est langue officielle.

Carte de la France touristique

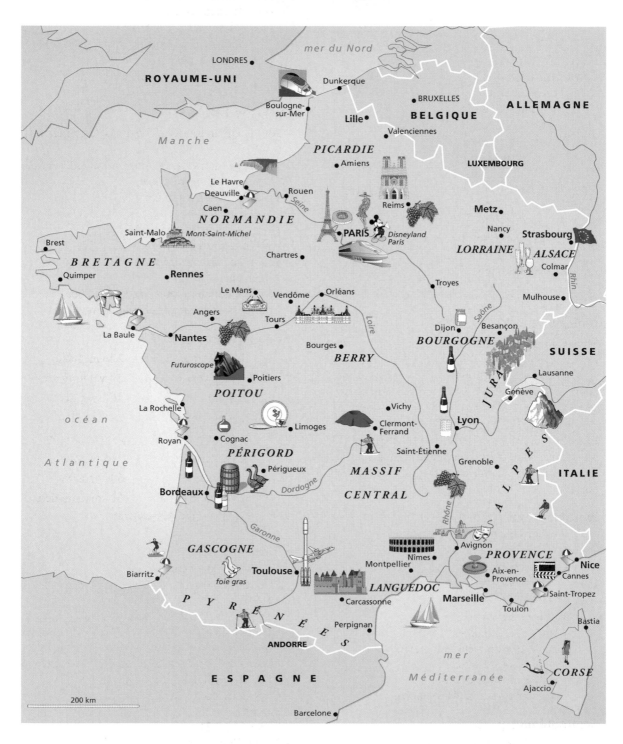

Transcriptions

Unité 1
En route !

Leçon 1

Communiquez p. 11

④ 1 Il est italien.
2 Elle s'appelle Justine.
3 Je suis français.
4 Il s'appelle Jacques.
5 Elle est française.

Prononcez p. 11

⑥ 1 Vous êtes français.
2 Il s'appelle Paul ?
3 Elle est française.
4 C'est Lucie ?
5 Alberto est italien ?

Leçon 2

Dialogue 2 p. 12

Mme Bourdet : Café ? Thé ?
Cécile Latour : Café, s'il vous plaît. Qui est-ce ?
Mme Bourdet : Ah ! C'est Émilie Constant, l'assistante de M. Devaux, le directeur. Et elle, c'est la secrétaire, Mme Moreno.
Cécile Latour : Et lui, qui est-ce ?
Mme Bourdet : C'est Pierre, il est professeur. Elle, c'est Anna. Elle est étudiante et elle est belge. Luigi, lui, il est italien. Carlos est espagnol et Lin est chinoise…

Entraînez-vous p. 13

② 1 Il est professeur d'italien.
2 Lou est chinoise.
3 Elle est belge.
4 C'est l'assistant de M. Devaux.
5 Paul est mon assistant.

③ 1 – Elle est française ?
– Non, elle est belge.
2 – Vous êtes directeur commercial ?
– Non, je suis dentiste.
3 – La directrice, c'est vous ?
– Mais non, je suis photographe.

Communiquez p. 13

⑤ 1 – Monsieur Lamy, s'il vous plaît ?
– Monsieur Lamy, bureau 5, c'est le poste 15.

2 – Madame Beaufort, s'il vous plaît ?
– C'est le bureau 8, poste 18.
3 – Mademoiselle Da Silva ?
– Bureau 3, poste 13.
4 – Monsieur Bui ?
– Oui, bureau 2, poste 12.
5 – Madame Dubois, s'il vous plaît ?
– Bureau 1, poste 11.

Leçon 3

Dialogue 1 p. 14

– Ah ! Bonjour, monsieur Legrand. Comment allez-vous ?
– Ça va, ça va, merci. Et vous, madame Lebon ?
– Oh ! oui, moi, je vais bien.
– Et votre bébé ? Il va bien ?
– Ça va, ça va.
– C'est un garçon ou une fille ?
– Ah ! un garçon.
– Et il a quel âge maintenant ?
– Il a un an…
– Eh bien, bonne journée, madame Lebon.
– Vous aussi, monsieur Legrand, au revoir.

Entraînez-vous p. 15

④ 1   21 vingt et un   22 vingt-deux
       23 vingt-trois   24 vingt-quatre
       25 vingt-cinq   26 vingt-six
       27 vingt-sept   28 vingt-huit
       29 vingt-neuf   31 trente et un
       32 trente-deux   40 quarante
       50 cinquante   60 soixante
       61 soixante et un   62 soixante-deux
    2 12-21-27-32-43-55-61-68

Communiquez p. 15

⑤ – Bonsoir, madame.
– Bonsoir, monsieur. Vous avez ma clé, s'il vous plaît ?
– Oui, quel est votre numéro de chambre ?
– Chambre 23.
– Bien, voilà votre clé, madame.
– Merci. Ah ! s'il vous plaît, quel est le numéro de téléphone de l'hôtel ?
– C'est le 01 46 57 38 21.
– Pardon ?
– 01 46 57 38 21.
– Merci. Bonne nuit.
– Bonne nuit, madame.

Prononcez p. 15

⑦ Exemple : Paul Dufaut // a une adresse e-mail.
  1 Anne // a un ami.
  2 M. Dany // va bien.
  3 L'amie de Mathilde // s'appelle Chloé.
  4 Mme Lebon // a un garçon.
  5 Roberto // parle français.

Unité 2
À la découverte des objets

Leçon 5

Communiquez p. 21

④ **Dialogue 1**
– Bonjour. Vous êtes deux personnes ?
– Non, nous sommes trois.
– Trois personnes… Trois personnes. La table à gauche, à côté du fauteuil ?
– Très bien, merci !

Dialogue 2
– Bonsoir, je suis M. Malet.
– M. Malet… Vous êtes six ?
– Oui, oui, nous sommes six.
– Table 4. C'est à droite de la porte.

Dialogue 3
– Bonjour, vous êtes ?…
– Quatre personnes.
– Table 7. Sous le miroir.
– À gauche ?
– Oui, à gauche.

Prononcez p. 21

⑥ 1 **a** Les livres sont sur les tables.
    b Il y a des fleurs.
    c Il y a une chaise devant la table.
    d L'affiche est sur le mur.
    e Il y a des chaises contre les murs.

Leçon 6

Découvrez p. 22

① 2 **a** Il est grand, brun. Il porte un pull-over bleu… blanc. Il a un manteau noir et des chaussures de sport.
    b Il est petit, blond. Il n'a pas de lunettes et il porte un blouson noir. Il a un T-shirt rouge.
    c C'est un homme, petit, brun. Il porte une chemise rouge et un jean. Ses chaussures sont noires aussi.

Leçon 7

Entraînez-vous p. 25

④ 70 – 71 – 72 – 80 – 81 – 82 – 90 – 91 – 92 – 100 – 200 – 1 000

Communiquez p. 25

⑤ 1 La table et les quatre chaises sont à 1 380 €.
  2 Alors, le sac noir coûte 79 € et le rouge 87 €.
  3 Le téléphone ici, à gauche ? Il est à 260 €. Ah ! non, pardon, 276 €.

Unité 3
Où vivent les Français ?

Leçon 9

Découvrez p. 30

② – Loca-loisirs, Alain Dauger. Bonjour.
– Bonjour, je suis Richard Soisson.
– Ah ! bonjour, monsieur Soisson. Comment allez-vous ?
– Bien, merci. J'ai votre e-mail devant moi et j'ai deux questions pour l'appartement au coin de la rue Auguste-Comte et de l'avenue de Gramond.
– L'appartement près de notre agence, c'est ça ?
– Oui, oui, c'est ça, à côté de chez vous. Est-ce qu'il y a une fenêtre dans la salle de bains ?
– Non.
– Bon… et où sont les placards ?
– Ils sont dans la chambre et au bout du couloir.

Prononcez p. 31

⑦ 1 **a** si – su
    b lit – lu
    c vie – vu
    d sous – su
    e loup – lu
    f vous – vu
  2 **a** dé – deux
    b blé – bleu
    c V – veux
    d dos – deux
    e beau – bleu
    f veau – veux
  3 **a** sel – seul
    b nef – neuf
    c belle – bœuf

d sol – seul

e note – neuf

f bof – bœuf

Leçon 10

Communiquez p. 33

⑤ 3 Dialogue 1

– Excusez-moi, pour aller à la gare, s'il vous plaît ?

– Oh là, la gare ! Mais, c'est loin. Vous êtes à pied ?

– Oui.

– Eh bien, prenez un taxi. Ou le bus… La ligne 10 passe devant la gare.

– La ligne 10. Bon, d'accord. Merci, madame.

Dialogue 2

– Pardon, madame, je cherche la poste, s'il vous plaît.

– Oh ! ce n'est pas loin. Vous prenez la première à gauche, vous allez tout droit et c'est au bout de la rue, sur la place.

– J'y vais à pied ?

– Oui, bien sûr.

Dialogue 3

– Salut, Tristan, tu vas où ?

À la fac.

– Ah ! moi aussi. Tu y vas comment, toi ? À vélo ?

– Non, non, en métro.

– Ah bon ? Tu ne prends pas le bus ? C'est direct !

– Oh ! non, c'est long en bus.

– Bon, d'accord. Prenons le métro.

Leçon 11

Communiquez p. 35

⑤ Alors, voilà, nous avons deux hôtels sur l'île. L'hôtel Marina, au sud, et l'hôtel Continental, à l'ouest.

– Et ils sont au bord de la mer ?

– L'hôtel Marina, oui, pas le Continental. Mais à l'hôtel Continental, vous avez une piscine.

– Ah ! Une piscine ! Et les chambres, elles sont comment ?

– Dans les deux hôtels, vous avez des chambres avec salle de bains, l'air conditionné et le téléphone. Et puis, à l'hôtel Marina, il y a aussi une terrasse et la télévision.

– Eh bien alors, Élodie, le Marina ou le Continental… ?

– Prenez le Marina, il est au bord de la mer et c'est un hôtel très sympa !

Leçon 12

Découvrez p. 36

② **1** Alors, oui, vous prenez cette rue, en face, la rue Saint-Yon, et vous continuez tout droit. Ensuite, vous prenez la… une, deux, trois… troisième… oui, oui, troisième à gauche et c'est dans cette rue, sur votre droite.

2 Oh ! ce n'est pas loin ! Vous avez la place de la Caille au bout de cette rue ; bon, alors, eh bien, là, vous tournez à gauche, oui, oui, c'est ça, à gauche, et ensuite vous prenez la deuxième à droite, c'est la rue du Port. Et c'est au bout de cette rue, juste en face de vous : la petite est à droite et la grande à gauche.

Évaluation orale 1 p. 39

① Salut, je m'appelle Cécile Paoli. J'ai 24 ans. Je suis étudiante en cinéma, à Rennes, dans l'ouest de la France. J'habite avec mes parents et mon frère. J'aime beaucoup la danse ; je prends des cours de salsa et j'aime la lecture et le cinéma aussi, bien sûr.

Bon, je m'appelle Sylvain Lenoir, j'ai 35 ans. Je suis boulanger, à Bordeaux dans le sud-ouest de la France. J'aime beaucoup le cinéma et surfer sur Internet. J'aime aussi le rugby et, le dimanche, je vais souvent voir des matchs.

Bonjour, je m'appelle Marie. J'habite à Montpellier dans le sud de la France. Ma maison est grande, claire et tout près de la mer. Je suis photographe et je cherche un travail.

Unité 4
Au rythme du temps

Leçon 13

Communiquez p. 43

④ **1** Le TGV 8765 à destination de Lyon, départ 9 h 25, partira voie 3.

2 Le TGV 7017 à destination de Dijon, départ 10 h 04, partira voie 7.

3 Le TGV 6326 à destination de Nice, départ 17 h 42, partira voie 9.

Prononcez p. 43

⑥ **1** Elle a deux sacs. Il est deux heures.

2 Ils sont six. Il y a six tables. Il est six heures.

3 Ils sont huit. Il y a huit photos. Ils ont huit enfants.

4 Voilà neuf pendules. Il a neuf ans.

5 Ils sont dix. Voilà dix objets. Voilà dix sacs.

⑦ **1** Il a une chaise. Il est chez ses amis.

2 Elle prend deux sacs. Elle prend deux objets.

3 Ils ont des billets. Ils sont chez eux.

4 Vous avez une leçon. Vous savez la leçon.

5 Il y a six hommes. Il y a six semaines.

Leçon 14

Communiquez p. 45

5 **Dialogue 1**

– Cabinet du docteur Renoir, bonjour.

– Oui, bonjour, madame. Je voudrais un rendez-vous mercredi… Mercredi matin, c'est possible ?

– Non, désolée, tout est complet le matin.

– Et dans l'après-midi ?

– Alors, il a rendez-vous à 14 h 30 et à 16 h 15. Donc, 15 h 30, c'est possible pour vous ?

– Oui, d'accord.

Dialogue 2

– Créa'tif coiffure, bonjour.

– Bonjour, je voudrais un rendez-vous avec Dominique, s'il vous plaît.

– Oui, quel jour ?

– Samedi, c'est possible ?

– Oui… À 10 h 45 ou bien 11 h 30 ?

– À onze heures moins le quart, parfait.

– C'est bon.

Prononcez p. 45

7 **1** **a** fait – faim

    b bon – beau

    c cubaine – cubain

    d pain – paix

    e manteau – menton

    f son – sonne

    g rang – rat

    h bonne – bon

  2 **a** argentin – argentine

    b musicienne – musicien

    c américain – américaine

    d informaticien – informaticienne

Leçon 15

Prononcez p. 47

7 **1** par – para – radio

  2 mer – mairie – riz

  3 heure – heureux – revient

  4 soir – soirée – réponse

  5 dort – doré – réveiller

  6 Pierre – Pierrot – roman

  7 bar – barreau – rose

  8 vert – verrue – rue

Unité 5
La vie de tous les jours

Leçon 17

Communiquez p. 53

5 – Qu'est-ce qu'on mange à midi, Françoise ?

– Je ne sais pas, moi. De la viande ?

– Ah ! non, pas de viande.

– Ah ! du poisson alors…

– D'accord. Et avec ça ?

– Ah ! des pommes de terre…

– Bon, alors, j'achète du poisson et des pommes de terre ?

– Oui, prends aussi du fromage.

– C'est tout ?

– Non, il faut aussi une bouteille d'eau minérale.

– Bon, j'y vais.

Prononcez p. 53

7 **1** **a** Le beurre est encore cher.

    b Le vendeur est à la porte.

    c L'acteur fait du sport.

    d Est-ce que le chauffeur téléphone ?

    e Elles veulent faire du sport.

  2 **a** Sa sœur ne veut pas.

    b Il peut leur montrer.

    c On déjeune jeudi prochain.

    d Ils veulent des jeux.

    e Elle a peur du feu.

Leçon 18

Communiquez p. 55

5 – Alors, qu'est-ce que vous avez fait hier entre 20 heures et 23 heures ?

– Alors… Vers 20 heures, j'ai téléphoné à ma mère et, après, j'ai dîné chez ma voisine. C'est une amie.

– Comment est-ce qu'elle s'appelle ?

– Anne. Anne Barreau.

– Et ensuite ?

– Ensuite, eh bien, nous avons pris un verre au Café de la gare, un café à côté de la maison.

– Au Café de la gare ?

– Oui, oui, pourquoi ?

Leçon 19

Communiquez p. 57

5 – Allô, Léa ? C'est Mathilde.

– Mathilde ! Alors, tu es rentrée de Barcelone ?

– Oui, là, je suis à Paris.

– Tu es restée combien de temps là-bas ?
– Cinq jours.
– Tu es rentrée quand ?
– Mardi dernier.
– Alors, Barcelone, c'est comment ?
– Ah ! magnifique. Étienne et moi, on y retourne le mois prochain.
– Ah bon ? Et pour combien de temps, cette fois ?
– Deux semaines.

Unité 6
On ne peut pas plaire à tout le monde !

Leçon 21

Prononcez p. 63

7 1 Elle a le choix.

2 Ils sont chez eux.

3 J(e) peux l(e) faire.

4 J(e) veux partir.

5 C'est léger.

6 J(e) sais pas.

7 Ce n'est pas la joie !

8 J(e) prends le train.

Leçon 22

Découvrez p. 64

1 2 – Alors, vous avez quel âge, s'il vous plaît ?
– Je vais avoir 22 ans dans un mois.
– Très bien. Et vous avez déjà travaillé à l'accueil dans une école ?
– Oui, j'ai travaillé un an à l'institut Goethe, à Munich.
– Oh ! vous savez parler allemand, alors ?
Oui, oui, je parle allemand et anglais.
– Dites-moi, est-ce que vous faites du sport ?
– Du sport ? Oui, je fais du tennis et de la natation. C'est important ?
– Non, non… Non, ce n'est pas très important… Vous pouvez travailler le week-end ? Je veux dire pas tous les week-ends, bien sûr.
– Ah ! oui, oui, pas de problème.

Communiquez p. 65

5 – Allô, bonjour. Je téléphone pour l'annonce.
– Vous êtes étudiante ?
– Oui, je suis étudiante à la fac de langues à Bordeaux.

– Ah ! très bien.
– Je voudrais savoir… les cours, c'est pour un enfant de quel âge ?
– Douze ans. C'est ma fille. Elle a eu un an d'anglais à l'école mais elle ne peut pas dire un mot.
– Et vous voulez combien d'heures de cours par semaine ?
– Je ne sais pas. Deux ou trois heures. Vous pouvez donner les cours le soir après 18 heures ?
– Alors, le mardi et le jeudi, ce n'est pas possible. Mais les autres jours, pas de problème.

Leçon 24

Découvrez p. 68

3 – Bien, alors, madame, que savez-vous de notre entreprise ?
– Je… Vous vendez des téléphones. C'est ça ?
– Ah ! non, pas exactement. Nous vendons du matériel informatique.
– Ah ! ouais, ouais… C'est ça, ouais…
– Et pourquoi voulez-vous travailler pour nous ?
– J'ai pas de travail… Alors, je cherche…
– Qu'est-ce que vous avez fait avant ?
– Secrétaire.
– Et pourquoi avez-vous quitté votre dernier travail ?
– C'est mon mari. Il est allé habiter avec une autre femme… une femme de mon entreprise. Vous imaginez, au travail ! Alors, je suis partie.
– Bien, vous avez des questions peut-être ?
– Non…
– Merci.

Évaluation orale 2 p. 71

1 Le matin, en général, je me lève vers cinq heures, très tôt, parce que je commence à écrire de très bonne heure. Deux heures après, je prends un petit déjeuner vers sept heures. Je prends deux bols de café et, ensuite, je continue à écrire jusqu'à onze heures. Et avant le déjeuner, entre onze heures et midi, je lis les journaux.

Après déjeuner, en général, je vais me promener ou je joue au tennis ou je fais un petit peu de sport, quand même. Et, en fin d'après-midi, vers quatre heures, je recommence à écrire jusqu'à sept ou huit heures. Après dîner, je continue à écrire jusqu'à minuit environ ; donc, je dors environ cinq heures par nuit.

Unité 7
Un peu, beaucoup, passionnément...

Leçon 25

Découvrez p. 74

1 – Pardon, monsieur, je fais une enquête sur les loisirs des Français. Vous pouvez répondre à quelques questions ?
– Oui, bien sûr.
– Alors… Vous avez quel âge, s'il vous plaît ?
– 26 ans.
– Vous faites du sport ?
– J'ai fait du sport, mais aujourd'hui, non… je n'en fais plus.
– D'accord. Le week-end, est-ce que vous sortez beaucoup, un peu ou pas du tout ?
– Ah ! je sors beaucoup !
– Avec des amis ? En famille ?
– Avec mes amis.
– Qu'est-ce que vous préférez : aller au cinéma, au théâtre, à l'opéra ou dans les musées ?
– J'aime beaucoup le cinéma… J'aime bien le théâtre aussi… Mais l'opéra et les musées, non… Je déteste ça !
– D'accord. Le soir, après le travail, vous préférez lire un livre, un journal, un magazine ou regarder la télévision ?
– Je préfère lire… ah oui, lire. Je n'aime pas beaucoup regarder la télé.
– Ah ! bien. Avec vos amis, où est-ce que vous dînez, en général ? À la maison, chez vous, chez eux ou au restaurant ?
– Ah ! chez moi, j'aime bien ! J'adore faire la cuisine.
– Et après le dîner, vous sortez dans les bars, dans les discothèques ?
– Dans les bars, oui… Dans les discothèques, non. Je n'aime pas beaucoup danser.
– Très bien. Merci, merci, monsieur.

Leçon 26

Prononcez p. 77

7 1 Vous êtes pour ou contre ?
2 Vous aimez les petites ou les grosses voitures ?
3 Vous préférez la bleue ou la rouge ?
4 Elle est grande mais pas très belle.
5 Vous préférez la ville ou la campagne ?

Leçon 27

Communiquez p. 79

5 1 Oui, je suis allée deux semaines en Bretagne. Qu'est-ce que c'est bien !

2 Hier, nous avons visité le musée d'Art moderne. Oui… Ce n'est pas très intéressant !

3 J'ai passé tout le week-end à La Rochelle. C'est vraiment beau !

4 Oui, eh bien, l'île Madame, ça n'a pas beaucoup d'intérêt !

5 Je suis partie à la campagne, cette année. Je me suis ennuyée !

6 La plage, le soleil, tout ça… J'adore ! C'est super !

Unité 8
Tout le monde en a parlé !

Leçon 29

Découvrez p. 84

1 2 **Toutes les semaines, *Actuelles* demande à une femme célèbre de parler de son enfance. Cette semaine, c'est Léna Aréna : elle vient de sortir son nouveau CD, *Rouge*.**
Qu'est-ce que vous vouliez faire comme profession, quand vous étiez petite ?
Ah ! oui, je me souviens… J'avais six ou sept ans. Et ma sœur venait d'entrer dans une école de danse. Alors, bien sûr, moi, je voulais être danseuse comme elle… ou alors actrice.
Alors, dites-moi quel type d'enfant est-ce que vous étiez ?
Ah ! j'étais très calme… trop calme… Je passais des heures dans ma chambre : je lisais, j'écrivais des poèmes, j'écoutais de la musique…
Et où est-ce que vous habitiez ?
J'habitais à Paris dans un petit appartement, avec mes parents. Mais, tous les étés, j'allais chez ma grand-mère : elle avait une grande maison au bord de la mer, en Bretagne. Ah ! j'adorais, j'aimais beaucoup cette maison…
Léna, est-ce que vous aviez un objet, un jouet préféré ?
Oh ! oui, oui ! J'avais une poupée. Elle s'appelait Babette. Alors quand j'étais triste, eh bien, je lui parlais.
Léna, je vous remercie.

Communiquez p. 85

⑤ **Et qu'est-ce que vous vouliez faire quand vous aviez sept ou huit ans ?**

– Quand j'avais sept ou huit ans ? Ben moi, je voulais être boulanger… comme mon père.

– Moi, quand j'étais petit, je voulais être professeur d'espagnol parce que, dans ma classe, il y avait une Espagnole… Qu'est-ce qu'elle était belle !

– Eh bien, moi, je voulais travailler dans une gare… parce que j'aimais beaucoup les trains.

– Actrice. Parce que j'allais au cinéma avec mon père et… j'aimais bien ça.

Prononcez p. 85

⑦ 1 Ils étaient là tous les dix.

2 Elle parlait beaucoup à sa poupée Babette.

3 Elle pensait bien partir en bus.

4 Il y avait un gros camion à côté du garage.

5 Ils attendaient tous les deux devant la porte.

Leçon 30

Communiquez p. 87

⑤ 1 La femme venait d'entrer chez le boulanger, en face. Et l'homme, il était à côté de sa voiture. Il est monté dans la voiture et il est parti.

2 Quand c'est arrivé, j'étais à ma fenêtre. La femme venait de sortir de sa voiture. Alors, un homme a pris les clés de la femme. Il est monté dans la voiture et il est parti.

3 Il y avait deux hommes, un grand et un petit. La femme venait de sortir de la voiture. Le grand a pris les clés de la femme et ils sont partis.

Prononcez p. 87

⑦ 1 a C'est faux. Ça ne vaut rien.

b C'est à faire. C'est à voir.

c Ils sont neufs. Elles sont neuves.

d C'est un sportif. C'est une sportive.

e Il voit une boîte. Il boit un verre.

2 a Il a fait une chute.

b Elle a acheté une jupe.

c J(e) peux jouer ?

d Je t'attends chez moi.

e Je ne l'achète pas cher.

Leçon 31

Communiquez p. 89

⑤ – Bonjour, mademoiselle, vous pouvez vous présenter, s'il vous plaît ?

– Oui, bonjour, je m'appelle Juliette Henry. Je suis née en 1980… le 16 janvier. J'ai fait du théâtre à Bordeaux de 1996 à 1998. Et puis… à partir de 98, j'ai pris des cours de théâtre, rue Blanche, à Paris…

– Combien d'années ?

– Deux ans. Jusqu'en 2000… Et un an plus tard, j'ai joué dans *Astérix et Obélix,* au cinéma. Voilà.

Unité 9
On verra bien !

Leçon 33

Communiquez p. 95

⑤ 1 – Tu crois qu'elle m'écrira ?
– Je n'en suis pas sûr.

2 – Ce soir ? Je vais au théâtre.
– Ah bon ! Tu verras peut-être Pierre alors… Il y va aussi.

3 – Ah ! ne t'inquiète pas ! Je suis certaine qu'il te téléphonera.

4 – Ah oui ! Moi, je crois qu'ils viendront.

5 – En mai ! Vous serez en vacances, non ?
– Non, je ne crois pas.

6 – Tu crois que j'aurai ce travail ?
– Oui, certainement.

Leçon 34

Communiquez p. 97

⑤ – Ah ! dis-moi, Philippe… On dîne ensemble la semaine prochaine ?

– Ah, désolé, mais ce n'est pas possible : je pars à Paris dans une semaine.

– Et tu y restes longtemps ?

– Oh ! Je vais rester là-bas quatre ou cinq jours.

– Bon… après alors ?

– Non, après, je serai en vacances. Je pars dix jours en Autriche.

– Mais tu es toujours parti ! Quand est-ce qu'on peut se voir ?

– Eh bien, dans un mois ? Dans un mois… le mardi 15… le mardi 15 septembre ? Ça va ?

– Le 15 ? Pas de problème ! Tu es sûr que tu pourras ?

– Mais oui, je te dis. Je serai là.

Prononcez p. 97

⑦ 1 a Célèbre.

b Prendre.

c Nombre.

d Membre.

e Prix.

f Préférer.

g Brun.

h Pratique.

2 **a** Vrai.

b France.

c Ouvrir.

d Livre.

e Frais.

f Fromage.

g Vraiment.

h Fragile.

Leçon 35

Communiquez p. 99

❺ **Dialogue 1**

– Tu veux aller au cinéma ce soir ?

– Ah j'ai du travail à terminer. On ira demain, si tu veux.

– Non, demain, j'ai rendez-vous avec une amie. Et je ne sais pas du tout à quelle heure je rentrerai.

– Bon, alors on ira samedi, s'il n'y a pas trop de monde…

Dialogue 2

– Est-ce que vous partez en vacances cet été ?

– Non, ce n'est pas sûr. Jacques va peut-être changer de travail.

– Ah bon ? Et alors ?

– Eh bien, s'il change de travail, il n'aura pas de vacances tout de suite…

Dialogue 3

– Alors, vous pourrez venir à notre petite fête ?

– Avec plaisir, si mon mari va bien.

– Ah bon ? Ça ne va pas ? Mais qu'est-ce qu'il a ?

– Il est malade. Il doit rester au lit.

Évaluation orale 3 p. 103

❶ **Bonjour, qu'est-ce que vous aimez faire dans la vie ? Qu'est-ce que vous n'aimez pas faire, en général ?**

Isabelle : Dans la vie ? J'aime bien faire des travaux dans ma maison. J'aime beaucoup peindre mais, ensuite, je n'aime pas du tout nettoyer. En fait, j'ai horreur de faire le ménage.

Stéphane : Moi, j'aime beaucoup voyager à l'étranger, faire de la marche, de la randonnée. Quand je suis chez moi, j'aime faire la cuisine, lire, écouter de la musique, surtout classique. Mais je n'aime pas faire la vaisselle, le ménage en général. Ça non, je n'aime pas !

Marielle : Ce que j'aime faire dans la vie ? J'aime aller à la mer, rester au soleil, faire du vélo au grand air, même s'il pleut, ce n'est pas grave. Sinon, j'aime beaucoup lire tranquillement un bon livre dans mon lit. Ce que je n'aime pas ? Je n'aime pas faire les courses à Paris, le samedi après-midi et je déteste ranger mes affaires.

Bruno : Ce que j'aime faire dans la vie ? Bonne question. Avant, j'aimais bien faire du tennis. Maintenant, non, je préfère la natation. Ce que je n'aime pas ? Ah ! oui, je déteste faire les courses

Mémento grammatical

I
LES DIFFÉRENTS TYPES DE PHRASES

1 La phrase affirmative

La phrase affirmative est constituée d'un **sujet** (groupe du nom ou pronom), d'un **prédicat** (groupe du verbe) et, éventuellement, d'un **complément de phrase**.

Sujet (groupe du nom ou pronom)	Prédicat (verbe + complément(s))	Complément de phrase (facultatif)
Aline	*est française.*	
Ses amis	*sont étudiants*	*(depuis deux ans).*
Aline	*sort*	*(beaucoup).*
Ses amies	*font du sport*	*(le samedi).*
Vous	*écrivez à vos amis*	*(tous les mois).*

La place des compléments de phrase peut varier.

2 La phrase négative

La négation comporte deux éléments. Ils entourent la forme conjuguée du verbe et les pronoms compléments placés avant elle :

*Je **ne** sais **pas**. Je **ne** le vois **pas**. **Ne** le regardez **pas**.*
*Je **ne** les vois **plus**.*

3 Les deux types de phrases interrogatives

a L'interrogation porte sur l'ensemble de la phrase.

On attend une réponse : *oui* ou *non*.

- Intonation montante :
  Tu vas au bureau ?
- Est-ce que... ?
  Est-ce que tu vas au bureau ?

! Avec quelques verbes usuels courts (*être, avoir, aller*), on utilise assez souvent l'inversion verbe-sujet dans la conversation courante, lorsque la question commence par un adverbe interrogatif : *Où **vas-tu** ? Combien **sont-ils** ? Comment **allez-vous** ?...*

b L'interrogation porte seulement sur un groupe de la phrase.

On attend une réponse autre que *oui* ou *non*.

Sujet	*Jean arrive.*	***Qui** arrive ?*	***Qui est-ce qui** arrive ?*
	Un train arrive.	***Qu'est-ce qui** arrive ?*	
Verbe	*Il **joue**.*	*Il fait **quoi** ?*	***Qu'est-ce qu'**il fait ?*
Attribut	*Elle est **jolie**.*	*Elle est **comment** ?*	***Comment** est-elle ?*
	*Ils sont **dix**.*	*Ils sont **combien** ?*	***Combien** sont-ils ?*
	*Il est **trois heures**.*	*Il est **quelle heure** ?*	***Quelle heure** est-il ?*
COD (objet direct)	*Ils regardent **Martine**.*	*Ils regardent **qui** ?*	***Qui est-ce qu'**ils regardent ?*
	*Ils regardent **le match**.*	*Ils regardent **quoi** ?*	***Qu'est-ce qu'**ils regardent ?*
COI (objet indirect)	*Ce livre est **à toi** ?*	*Ce livre est **à qui** ?*	***À qui** est ce livre ?*
	*Elles jouent **au tennis**.*	*Elles jouent **à quoi** ?*	***À quoi** est-ce qu'elles jouent ?*
Complément de temps	*Ils arrivent **demain**.*	*Ils arrivent **quand** ?*	***Quand** est-ce qu'ils arrivent ?*
Complément de lieu	*Ils vont **à Nice**.*	*Ils vont **où** ?*	***Où** est-ce qu'ils vont ?*
Complément de manière	*Jean part **à vélo**.*	*Jean part **comment** ?*	***Comment** est-ce que Jean part ?*
Complément de but	*Ils viennent **pour parler**.*	*Ils viennent **pour quoi** ?*	***Pour quoi** est-ce qu'ils viennent ?*
Complément de cause	*Il achète **parce que ce n'est pas cher**.*	*Il achète **pourquoi** ?*	***Pourquoi** est-ce qu'il achète ?*
Demander l'âge	*Elle a **trente ans**.*	*Elle a **quel âge** ?*	***Quel âge** a-t-elle ?*
Demander le prix	*Ça coûte **dix euros**.*	*Ça coûte **combien** ?*	***Combien** ça coûte ?*

4 Les phrases exclamatives

a **L'intonation** *Tu joues au foot !*

b ***Quel*** + **(adjectif)** + **nom** *Quels bons joueurs !*

c ***Que*** + **proposition** *Que c'est beau !*

II
LE GROUPE DU NOM

C'est un groupe de mots qui a un nom comme élément principal.
Le tableau suivant indique les positions respectives des différents éléments du groupe.

Avant le nom				Nom	Après le nom
tout(e) tous/toutes	le, la, les un, une, des	trois	petit(e)s	moto(s)	bleu(e)s
	du, de la, des ce, cet, cette, ces un peu de, assez de… quelques				
	quel(s)/quelle(s)				

III
LE GROUPE DU VERBE

1 La conjugaison

Les verbes comportent un radical et une terminaison :
*je **march**-e, vous **march**-ez*
Certains verbes ont deux ou même trois radicaux :
*je **boi**-s, nous **buv**-ons, ils **boiv**-ent*

On classe les verbes en **trois groupes** :
– 1er groupe : les verbes en **-er** (sauf *aller*). Ils n'ont qu'un radical et sont réguliers ;
– 2e groupe : les verbes en **-ir** qui comprennent quelques verbes irréguliers ;
– 3e groupe : les autres verbes, tous irréguliers.
(Voir les tableaux p. 118.)

2 La construction des verbes

• Les verbes **intransitifs** n'ont pas de compléments : *Nous partons. Vous venez.*

• Les verbes **transitifs** ont un complément d'objet direct (COD) ou un complément d'objet indirect (COI) :
Elle regarde la télévision. (COD)
Il téléphone à ses amis. (COI)

• Les verbes **pronominaux** se construisent avec un pronom personnel qui renvoie au sujet.
*Elle **se promène** avec son chien.*

3 Valeurs et emplois des temps

a **Présent**
• Vérité générale : *Tous les hommes **sont** égaux.*
• Action en cours : *Je **lis** (en ce moment).*
• Action habituelle :
*Je **déjeune** à une heure (tous les jours).*
• Expression du futur : *Tu **pars** demain ?*
• Ordre : *Tu **fais** le ménage !*

Mémento grammatical

b Passé composé
- Événement passé : *Je **suis sorti** hier.* C'est le temps du récit.

c Imparfait
- Circonstances d'une action : *Quand il est arrivé, je **lisais**.*
- Description d'un état d'esprit : *Les gens **étaient** heureux.*
- Action passée habituelle : *Je me **levais** (tous les jours) à 7 heures.*

d Impératif
- Ordre : *Ne **fumez** pas ici !*
- Conseil, suggestion : ***Offrez**-lui des fleurs !*
- Invitation : ***Entrez**, bienvenue !*

e Futur
- Probabilité : *Il **viendra** (peut-être/probablement).*
- Prévision : *Il **fera** beau.*

IV
ACCENTS ET SIGNES DE PONCTUATION

1 Les quatre accents
- L'accent aigu *(é)* : *l'été*
– L'accent grave *(è, à, ù)* : *mère, là, où*
– L'accent circonflexe *(â, ê, î, ô, û)* : *âge, être, île, hôtel, coûter*
– Le tréma *(ï, ë)* : *maïs, Noël*

2 Les signes orthographiques
- L'apostrophe remplace *a* ou *e* devant un mot commençant par une voyelle : *l'ami, l'école*
- La cédille *ç* se prononce [s] : *un garçon*
- Le trait d'union :
– lie des mots *(vingt-trois)* ;
– divise des mots en fin de ligne entre deux syllabes *(fran-çais)*.

3 Les signes de ponctuation
- Le point (.) est à la fin d'une phrase ou dans les abréviations (M. = monsieur).
- La virgule (,) marque une pause entre des groupes.
- Le point-virgule (;) marque une pause entre des propositions.
- Le deux-points (:) annonce une explication ou une citation.
- Les guillemets (« ») marquent les énoncés en style direct (dialogue) et les citations.
- Les parenthèses ( ) s'utilisent pour les remarques à mettre à part.
- Le tiret (–) marque le changement de locuteur en style direct (dialogue) et s'utilise dans les énumérations.

La prononciation du français

Voyelles		
• 13 voyelles orales		
antérieures	centrales	postérieures
[i] fini	[y] sur	[u] sous
[e] été	[ø] peu	[o] mot
[ɛ] sept	[œ] peur	[ɔ] porte
[a] chat, papa		

• 3 Voyelles nasales [ɛ̃] pain [ɑ̃] blanc [ɔ̃] bon

• 3 semi-consonnes [j] pied [ɥ] suis [w] oui

17 consonnes			
[b]	bout	[n]	non
[s]	si	[ɲ]	campagne
[d]	dit	[p]	pas
[f]	faux	[ʀ]	rue
[g]	gare	[t]	tout
[ʒ]	page	[ʃ]	chat
[k]	kilo	[v]	vous
[l]	la	[z]	mise
[m]	maison		

Tableau de conjugaison

INFINITIF	INDICATIF				IMPÉRATIF
	Présent	**Passé composé**	**Imparfait**	**Futur**	**Présent**
Être (auxiliaire)	je **suis** tu **es** il/elle **est** nous **sommes** vous **êtes** ils/elles **sont**	j'**ai été** tu as été il/elle a été nous avons été vous avez été ils/elles ont été	j'étais tu étais il/elle était nous étions vous étiez ils/elles étaient	je serai tu seras il/elle sera nous serons vous serez ils/elles seront	sois soyons soyez
Avoir (auxiliaire)	j'**ai** tu **as** il/elle **a** nous **avons** vous **avez** ils/elles **ont**	j'**ai eu** tu as eu il/elle a eu nous avons eu vous avez eu ils/elles ont eu	j'avais tu avais il/elle avait nous avions vous aviez ils/elles avaient	j'**aurai** tu auras il/elle aura nous aurons vous aurez ils/elles auront	aie ayons ayez
Aller	je **vais** tu **vas** il/elle **va** nous **all**ons vous **allez** ils/elles **vont**	je **suis allé**(e) tu es allé(e) il/elle est allé(e) nous sommes allé(e)s vous êtes allé(e)s ils/elles sont allé(e)s	j'allais tu allais il/elle allait nous allions vous alliez ils/elles allaient	j'irai tu iras il/elle ira nous irons vous irez ils/elles iront	va allons allez
Boire	je **bois** tu bois il/elle boit nous **buv**ons vous buvez ils/elles boivent	j'**ai bu** tu as bu il/elle a bu nous avons bu vous avez bu ils/elles ont bu	je **buv**ais tu buvais il/elle buvait nous buvions vous buviez ils/elles buvaient	je **boir**ai tu boiras il/elle boira nous boirons vous boirez ils/elles boiront	bois buvons buvez
Chanter	je **chant**e tu chantes il/elle chante nous chantons vous chantez ils/elles chantent	j'**ai chanté** tu as chanté il/elle a chanté nous avons chanté vous avez chanté ils/elles ont chanté	je **chant**ais tu chantais il/elle chantait nous chantions vous chantiez ils/elles chantaient	je **chanter**ai tu chanteras il/elle chantera nous chanterons vous chanterez ils/elles chanteront	chante chantons chantez
Choisir	je **choisi**s tu choisis il/elle choisit nous **choisiss**ons vous choisissez ils/elles choisissent	j'**ai choisi** tu as choisi il/elle a choisi nous avons choisi vous avez choisi ils/elles ont choisi	je **choisiss**ais tu choisissais il/elle choisissait nous choisissions vous choisissiez ils/elles choisissaient	je **choisir**ai tu choisiras il/elle choisira nous choisirons vous choisirez ils/elles choisiront	choisis choisissons choisissez
Connaître	je **connai**s tu connais il/elle connaît nous **connaiss**ons vous connaissez ils/elles connaissent	j'**ai connu** tu as connu il/elle a connu nous avons connu vous avez connu ils/elles ont connu	je **connaiss**ais tu connaissais il/elle connaissait nous connaissions vous connaissiez ils/elles connaissaient	je **connaîtr**ai tu connaîtras il/elle connaîtra nous connaîtrons vous connaîtrez ils/elles connaîtront	connais connaissons connaissez
Devoir	je **dois** tu dois il/elle doit nous **dev**ons vous devez ils/elles **doiv**ent	j'**ai dû** tu as dû il/elle a dû nous avons dû vous avez dû ils/elles ont dû	je **dev**ais tu devais il/elle devait nous devions vous deviez ils/elles devaient	je **devr**ai tu devras il/elle devra nous devrons vous devrez ils/elles devront	*n'existe pas*

INFINITIF	INDICATIF				IMPÉRATIF
	Présent	Passé composé	Imparfait	Futur	Présent
Écrire	j'écris tu écris il/elle écrit nous **écriv**ons vous écrivez ils/elles écrivent	j'ai écrit tu as écrit il/elle a écrit nous avons écrit vous avez écrit ils/elles ont écrit	j'écrivais tu écrivais il/elle écrivait nous écrivions vous écriviez ils/elles écrivaient	j'**écrir**ai tu écriras il/elle écrira nous écrirons vous écrirez ils/elles écriront	écris écrivons écrivez
Faire	je **fais** tu fais il/elle fait nous **fais**ons vous **faites** ils/elles **font**	j'**ai fait** tu as fait il/elle a fait nous avons fait vous avez fait ils/elles ont fait	je **fais**ais tu faisais il/elle faisait nous faisions vous faisiez ils/elles faisaient	je **fer**ai tu feras il/elle fera nous ferons vous ferez ils/elles feront	fais faisons faites
Falloir	il faut	il a fallu	il **fallait**	il **faudra**	*n'existe pas*
Pouvoir	je **peux** tu peux il/elle peut nous **pouv**ons vous pouvez ils/elles **peuv**ent	j'ai pu tu as pu il/elle a pu nous avons pu vous avez pu ils/elles ont pu	je **pouv**ais tu pouvais il/elle pouvait nous pouvions vous pouviez ils/elles pouvaient	je **pourr**ai tu pourras il/elle pourra nous pourrons vous pourrez ils/elles pourront	*n'existe pas*
Prendre	je **prend**s tu prends il/elle prend nous **pren**ons vous prenez ils/elles **prenn**ent	j'ai **pris** tu as pris il/elle a pris nous avons pris vous avez pris ils/elles ont pris	je **pren**ais tu prenais il/elle prenait nous prenions vous preniez ils/elles prenaient	je **prendr**ai tu prendras il/elle prendra nous prendrons vous prendrez ils/elles prendront	prends prenons prenez
Savoir	je **sais** tu sais il/elle sait nous **sav**ons vous savez ils/elles savent	j'ai **su** tu as su il/elle a su nous avons su vous avez su ils/elles ont su	je savais tu savais il/elle savait nous savions vous saviez ils/elles savaient	je **saur**ai tu sauras il/elle saura nous saurons vous saurez ils/elles sauront	sache sachons sachez
Venir	je **viens** tu viens il/elle vient nous **ven**ons vous venez ils/elles **vienn**ent	je **suis venu**(e) tu es venu(e) il/elle est venu(e) nous sommes venu(e)s vous êtes venu(e)s ils/elles sont venu(e)s	je venais tu venais il/elle venait nous venions vous veniez ils/elles venaient	je **viendr**ai tu viendras il/elle viendra nous viendrons vous viendrez ils/elles viendront	viens venons venez
Voir	je **vois** tu vois il/elle voit nous **voy**ons vous voyez ils/elles voient	j'ai **vu** tu as vu il/elle a vu nous avons vu vous avez vu ils/elles ont vu	je **voy**ais tu voyais il/elle voyait nous voyions vous voyiez ils/elles voyaient	je **verr**ai tu verras il/elle verra nous verrons vous verrez ils/elles verront	vois voyons voyez
Vouloir	je **veux** tu veux il/elle veut nous **voul**ons vous voulez ils/elles **veul**ent	j'ai **voulu** tu as voulu il/elle a voulu nous avons voulu vous avez voulu ils/elles ont voulu	je **voul**ais tu voulais il/elle voulait nous voulions vous vouliez ils/elles voulaient	je **voudr**ai tu voudras il/elle voudra nous voudrons vous voudrez ils/elles voudront	veuillez

Le lexique répertorie les mots contenus dans les textes, documents et exercices.
Le numéro qui figure à gauche du mot renvoie au numéro de la leçon où le mot apparaît pour la première fois.
La traduction fournie est donc celle de l'acception de ce mot dans le contexte de son premier emploi.
Certains mots « transparents » comme « taxi », mots dont la forme et le sens sont proches de ceux de la langue des apprenants, n'ont pas été répertoriés.

Liste des abréviations

adj.	adjectif	*loc.*	locution	*prép.*	préposition	*v. intr.*	verbe intransitif
adv.	adverbe	*n. f.*	nom féminin	*pron.*	pronom	*v. irr.*	verbe irrégulier
conj.	conjonction	*n. m.*	nom masculin	*v. aux.*	verbe auxiliaire	*v. pron.*	verbe pronominal
interj.	interjection	*plur.*	pluriel	*v. imp.*	verbe impersonnel	*v. tr.*	verbe transitif

		anglais	**espagnol**	**italien**	**portugais**	**grec**
A	4	**à bientôt**, *loc.*	see you soon	hasta pronto	a presto	até logo	σε λίγο
	30	**accident**, *n. m.*	accident	accidente	incidente	acidente	ατύχημα
	14	**accueil**, *n. m.*	reception, welcome	acogida	accoglienza	recepção	υποδοχή
	17	**acheter**, *v. tr.*	to buy	comprar	comprare	comprar	αγοράζω
	14	**acteur/actrice**, *n.*	actor/actress	actor/actriz	attore/attrice	actor/actriz	ηθοποιός/ηθοποιός
	25	**activité**, *n. f.*	activity	actividad	attività	actividade	δραστηριότητα
	25	**adorer**, *v. tr.*	to adore, love	adorar	adorare	adorar	λατρεύω
	3	**adresse**, *n. f.*	address	dirección	indirizzo	morada	διεύθυνση
	11	**aéroport**, *n. m.*	airport	aeropuerto	aeroporto	aeroporto	αεροδρόμιο
	5	**affiche**, *n. f.*	poster	cartel	manifesto, poster	cartaz	αφίσα
	3	**âge**, *n. m.*	age	edad	età, *n. f.*	idade	ηλικία
	11	**agence de voyages**, *n. f.*	travel agency	agencia de viajes	agenzia di viaggi	agência de viagens	ταξιδιωτικό γραφείο
	9	**agence immobilière**, *n. f.*	estate agent's (office)	agencia inmobiliaria	agenzia immobiliare	agência imobiliária	μεσιτικό γραφείο ακινήτων
	14	**agenda**, *n. m.*	diary	agenda	agenda	agenda	ατζέντα
	10	**ah bon ?**, *loc.*	oh yes?	¿ah sí?	ah sì ?, veramente ?	ah é?	έτσι ε
	4	**aimer**, *v. tr.*	to love	amar	amare	amar	αγαπάω (ώ)
	11	**air conditionné**, *n. m.*	air conditioning	aire acondicionado	aria condizionata, *n. f.*	ar condicionado	κλιματισμός
	21	**alcool**, *n. m.*	alcohol	alcohol	alcool	álcool	αλκοόλ
	2	**allemand**, *adj.*	German	alemán	tedesco	alemão	γερμανικός
	3	**aller**, *v. intr. irr.*	to go	ir	andare	ir	πηγαίνω, πάω
	13	**aller-retour**, *n. m.*	return ticket	ida y vuelta	andata e ritorno	bilhete de ida e volta	πήγαινε-έλα
	33	**allumer**, *v. tr.*	to turn on	encender	accendere	ligar	ανάβω
	3	**alors**, *adv.*	then	entonces	allora	então	λοιπόν
	3	**ami(e)**, *n.*	friend	amigo/a	amico(a)	amigo(a)	φίλος, φίλη
	31	**amour**, *n. m.*	love	amor	amore	amor	έρωτας
	31	**amoureux, amoureuse**, *adj.*	in love	enamorado/a	innamorato(a)	apaixonado(a)	ερωτευμένος, ερωτευμένη
	3	**an**, *n. m.*	year	año	anno	ano	έτος
	9	**ancien**, *adj.*	old	antiguo	antico	antigo	αρχαίος
	19	**année**, *n. f.*	year	año	annata ; anno, *n. m.*	ano	έτος
	31	**à partir de**, *loc.*	(starting) from	a partir de	a partire da	a partir de	από
	9	**appartement**, *n. m.*	flat, apartment	apartamento	appartamento	apartamento	διαμέρισμα
	1	**appeler (s')**, *v. pron.*	to be called	llamar(se)	chiamarsi	chamar(-se)	ονομάζομαι
	31	**apprendre**, *v. tr. irr.*	to learn	aprender	imparare	aprender	μαθαίνω
	15	**après**, *adv.*	after	después	dopo	depois de	μετά
	13	**après-midi**, *n. m.*	afternoon	tarde	pomeriggio	tarde	απόγευμα
	12	**aquarium**, *n. m.*	aquarium	acuario	acquario	aquário	ενυδρείο
	26	**argent**, *n. m.*	money	dinero	soldi, *n. m. pl.*	dinheiro	χρήματα
	27	**arrêter**, *v. tr.*	to stop	parar	fermare	parar	σταματώ
	10	**arriver**, *v. intr.*	to arrive	llegar	arrivare	chegar	φθάνω
	29	**article**, *n. m.*	article	artículo	articolo	artigo	άρθρο
	8	**artiste**, *n.*	artist	artista	artista	artista	καλλιτέχνης
	9	**ascenseur**, *n. m.*	lift	ascensor	ascensore	elevador	ασανσέρ
	26	**assez**, *adv.*	enough	bastante	abbastanza	bastante	αρκετά
	5	**assiette**, *n. f.*	plate	plato	piatto, *n. m.*	prato	πιάτο
	2	**assistant(e)**, *n.*	assistant	ayudante	assistente	assistente	βοηθός (ο, η)
	15	**athlétisme**, *n. m.*	athletics	atletismo	atletica, *n. f.*	atletismo	αθλητισμός
	26	**attendre**, *v. tr. irr.*	to wait	esperar	aspettare	esperar	περιμένω
	24	**attention (faire –)**, *loc.*	care (take—)	cuidado (tener)	attenzione (fare –)	atenção (prestar)	προσέχω
	25	**aujourd'hui**, *adv.*	today	hoy	oggi	hoje	σήμερα
	3	**au revoir**, *n. m.*	goodbye	adiós	arrivederci	adeus	αντίο
	7	**aussi**, *adv.*	also	también	anche	também	επίσης
	30	**autoroute**, *n. f.*	motorway	autopista	autostrada	auto-estrada	αυτοκινητόδρομος
	16	**au total**, *loc.*	in all	en total	in totale	no total	συνολικά
	6	**autre chose**, *n. f.*	something else	otra cosa	altra cosa	outra coisa	κάτι άλλο
	24	**avant**, *adv.*	before	delante	prima	antes	πριν
	26	**avantage**, *n. m.*	advantage	ventaja	vantaggio	vantagem	πλεονέκτημα
	9	**avec**, *prép.*	with	con	con	com	με
	35	**avec plaisir**, *loc.*	with pleasure	con mucho gusto	con piacere	com prazer	ευχαρίστως
	34	**avenir**, *n. m.*	future	porvenir	avvenire, futuro	futuro	μέλλον
	9	**avenue**, *n. f.*	avenue	avenida	viale, corso, *n. m.*	avenida	λεωφόρος
	12	**avion**, *n. m.*	aeroplane	avión	aereo	avião	αεροπλάνο
	3	**avoir**, *v. aux.*	to have	haber/tener	avere	ter	έχω
B	34	**bac(calauréat)**, *n. m.*	school leaving certificate (A-levels)	bachillerato	maturità, *n. f.*	décimo segundo ano	απολυτήριο λυκείου
	2	**badge**, *n. m.*	badge	tarjeta de identificación	lasciapassare, pass, *ingl.*	crachá	σήμα
	32	**baguette**, *n. f.*	French stick	barra de pan	sfilatino, *n. m.*	pão francês fino e comprido	μπαγκέτα

27	**baigner (se)**, *v. pron.*	to bathe	bañar(se)	fare il bagno	banhar(-se)	λούζομαι
10	**banque**, *n. f.*	bank	banco	banca	banco	τράπεζα
4	**bar**, *n. m.*	bar	bar	bar	bar	μπαρ
6	**baskets**, *n. f. plur.*	trainers	zapatillas de deporte	scarpe da ginnastica	ténis	αθλητικά παπούτσια
12	**bateau**, *n. m.*	boat	barco	barca, *n. f.*	barco	καράβι
18	**beau/belle**, *adj.*	handsome/beautiful	guapo/a	bello(a)	belo(a)	όμορφος/όμορφη
4	**beaucoup**, *adv.*	a lot	mucho	molto	muito	πολύ
33	**beau temps (faire –)** *loc.*	fine (the weather is—)	buen tiempo (hacer)	bel tempo (fare –)	bom tempo (estar –)	έχει καλό καιρό
12	**beaux-arts**, *n. m. plur.*	fine arts	Bellas Artes	belle arti, *n. f. plur.*	belas artes	καλές τέχνες
3	**bébé**, *n. m.*	baby	bebé	neonato	bebé	μωρό
2	**belge**, *adj.*	Belgian	belga	belga	belga	βελγικός
17	**beurre**, *n. m.*	butter	mantequilla	burro	manteiga	βούτυρο
3	**bien**, *adv.*	well	bien	bene	bem	καλά
10	**bien sûr**, *loc.*	of course	por supuesto	certo, certamente	claro	βέβαια
12	**billet**, *n. m.*	ticket	billete	biglietto	bilhete	εισιτήριο
12	**bise**, *n. f.*	love (lit: "kiss")	beso	un bacio, *n. m.*	beijinho	φιλί
19	**bisous**, *n. m. plur.*	love (lit: "kisses")	besos	baci	beijinhos	φιλιά
6	**blanc(he)**, *adj.*	white	blanco/a	bianco(a)	branco(a)	άσπρος, -η, -ο
30	**blessé(e)**, *n.*	injured person, casualty	herido/a	ferito(a)	ferido(a)	τραυματίας
6	**bleu**, *adj.*	blue	azul	blu	azul	μπλε
6	**blond**, *adj.*	blond	rubio	biondo	louro	ξανθός
5	**blouson**, *n. m.*	jacket	cazadora	giubbotto	blusão	μπλουζόν
17	**boire**, *v. tr. irr.*	to drink	beber	bere	beber	πίνω
15	**boîte**, *n. f.*	night club	discoteca	discoteca	discoteca	κουτί
5	**bon**, *adj.*	good	bueno	buono	bom	καλός
7	**bon de commande**, *n. m.*	order form	hoja de pedido	buono d'ordine	ordem de encomenda	δελτίο παραγγελίας
1	**bonjour**, *n. m.*	hello	buenos días	buongiorno	bom dia	καλημερα
20	**bonne année**, *n. f.*	Happy New Year	Feliz Año	buon anno, *n. m.*	bom ano	καλή χρονιά
3	**bonne journée**, *n. f.*	good day	buenos días	buona giornata	bom dia	καλημερα
3	**bonne nuit**, *n. f.*	goodnight	buenas Noches	buona notte	boa noite	καληνύχτα
35	**bouche**, *n. f.*	mouth	boca	bocca	boca	στόμα
4	**boulanger/boulangère** *n.*	baker	panadero/a	panettiere(a)	padeiro(a)	αρτοποιος (ο, η)
5	**bouteille**, *n. f.*	bottle	botella	bottiglia	garrafa	μπουκάλι
7	**boutique**, *n. f.*	shop, boutique	tienda	negozio	loja	μπουτίκ
5	**bravo**, *interj.*	well done!	bravo	bravo(a)	bravo	μπράβο
27	**bref**, *adv.*	in a word	breve	in breve	em resumo	σύντομα
33	**briller**, *v. intr.*	to shine	brillar	brillare	brilhar	λάμπω
12	**brochure**, *n. f.*	brochure	folleto	opuscolo, depliant	brochura	φυλλάδιο
6	**brun**, *adj.*	brown	moreno	bruno	moreno, castanho	μελαχρινός
9	**bruyant**, *adj.*	noisy	ruidoso	rumoroso	barulhento	θορυβώδης
33	**bulletin météo**, *n. m.*	weather report	información metereológica	bollettino meteorologico	boletim meteorológico	μετεωρολογικό δελτίο
2	**bureau**, *n. m.*	office	oficina	ufficio	escritório	γραφείο
10	**bus**, *n. m.*	bus	autobús	autobus	autocarro	λεωφορειο

C

14	**cabinet**, *n. m.*	cabinet, firm	gabinete	gabinetto	gabinete, escritório	γραφείο
18	**cadeau**, *n. m.*	present, gift	regalo	regalo	presente	δώρο
2	**café**, *n. m.*	coffee, café	café	caffè	café	καφές
9	**calme**, *adj.*	calm	calma	calmo	calmo(a)	ήρεμος
27	**calmer (se)**, *v. pron.*	to calm down	calmar (se)	calmarsi	acalmar(-se)	ηρεμώ
30	**camion**, *n. m.*	lorry	camión	camion	camião	φορτηγό
15	**campagne**, *n. f.*	country	campo	campagna	campo	εξοχή
27	**camping**, *n. m.*	camping	camping	campeggio	campismo	κάμπινγκ
4	**canadien**, *adj.*	Canadian	canadiense	canadese	canadiano(a)	καναδέζικος
2	**candidat(e)**, *n.*	candidate	candidato/a	candidato	candidato(a)	υποψήφιος/υποψήφια
11	**carte**, *n. f.*	map	mapa	cartina, mappa	mapa	χάρτι (τραπουλας)
16	**carte à jouer**, *n. f.*	playing card	carta para jugar	carta da gioco	carta de baralho	χαρτιά (τράπουλας)
2	**carte de visite**, *n. f.*	visiting card, business card	tarjeta de visita	biglietto da visita	cartão de visita	επισκεπτήριο
12	**carte postale**, *n. f.*	postcard	tarjeta postal	cartolina postale	cartão postal	ταχυδρομικό δελτάριο
31	**casting**, *n. m.*	casting	casting/selección	casting, provino	audição,distribuição de papéis	κάστινγκ
7	**catalogue**, *n. m.*	catalogue	catálogo	catalogo	catálogo	κατάλογος
3	**ça va**, *loc.*	things are fine	bien	tutto bene	tudo bem	καλά
29	**célèbre**, *adj.*	famous	célebre	famoso, celebre	célebre	διάσημος
16	**céréales**, *n. f. plur.*	cereals	cereales	cereali	cereais	δημητριακά
36	**certain**, *adj.*	certain	cierto	certo	certo	βέβαιος
33	**certainement**, *adv.*	certainly	ciertamente	certamente	certamente	βεβαίως
5	**c'est ça**, *loc.*	that's it	eso es	è così	é isso mesmo	αυτό είναι
7	**c'est parti**, *loc.*	it's gone	ya empezó	via	pronto	πάμε
17	**c'est tout**, *loc.*	that's all	es todo	è tutto	é tudo	αυτά
5	**chaise**, *n. f.*	chair	silla	sedia	cadeira	καρέκλα
3	**chambre**, *n. f.*	room, bedroom	habitación	camera	quarto	δωμάτιο
33	**chance**, *n. f.*	chance, luck	suerte	fortuna	sorte	τύχη
35	**changement**, *n. m.*	change	cambio	cambiamento	mudança, troca	αλλαγή
26	**changer**, *v. tr.*	to change	cambiar	cambiare	mudar, trocar	αλλάζω
5	**chapeau**, *n. m.*	hat	sombrero	cappello	chapéu	καπέλο
5	**chat(te)**, *n.*	cat	gato/a	gatto	gato(a)	γάτος/γάτα
18	**chaud**, *adj.*	warm	caliente	caldo	quente	ζεστός
6	**chaussures**, *n. f. plur.*	shoes	zapatos	scarpe	sapatos	παπούτσια
35	**cheminée**, *n. f.*	fireplace	chimenea	camino, *n. m.*	lareira	τζάκι
6	**chemise**, *n. f.*	shirt	camisa	camicia	camisa	πουκάμισο
7	**cher/chère** *adj.*	expensive	querido/a	caro	caro(a)	ακριβός/ακριβή
4	**chercher**, *v. tr.*	to search for	buscar	cercare	procurar	ψάχνω
24	**cheveux**, *n. m. plur.*	hair	pelo/cabello	capelli	cabelo(s)	τρίχα, μαλλιά
21	**chien(ne)** *n.*	dog	perro/a	cane	cão(cadela)	σκύλος(α)
2	**chinois**, *adj.*	Chinese	chino	cinese	chinês(a)	κινέζικος
21	**chocolat**, *n. m.*	chocolate	chocolate	cioccolato	chocolate	σοκολάτα
23	**choisir**, *v. tr.*	to choose	escoger	scegliere	escolher	διαλέγω
17	**cidre**, *n. m.*	cider	sidra	sidro	sidra	μηλίτης οίνος

	French	English	Spanish	Italian	Portuguese	Greek
4	**cinéma**, *n. m.*	cinema	cine	cinema	cinema	κινηματογράφος
30	**circonstance**, *n. f.*	circumstance	circunstancia	circostanza	circunstância	περίσταση
11	**circuit**, *n. m.*	tour, trip	circuito	circuito	circuito	κύκλωμα
9	**clair**, *adj.*	bright	claro	chiaro	claro(a)	φωτεινός
21	**classe (école)**, *n. f.*	class (school)	aula (escuela)	classe (scuola)	classe (escola)	τάξη
3	**clé**, *n. f.*	key	llave	chiave	chave	κλειδί
1	**club**, *n. m.*	club	club	club	clube	λέσχη
14	**coiffure**, *n. f.*	hairdo	peinado	pettinatura	penteado	κόμμωση
8	**coin**, *n. m.*	corner	rincón	angolo	recanto	γωνιά
23	**collègue**, *n.*	colleague	colega	collega	colega	συνάδελφος (ο,η)
4	**colombien**, *adj.*	Colombian	colombiano	colombiano	colombiano(a)	κολομβιάνικος
29	**comme**, *adv.*	as	como	come	como	όπως
14	**commencer**, *v. tr. irr.*	to begin	comenzar	cominciare, iniziare	começar	αρχίζω
3	**comment**, *adv.*	how	cómo	come	como	πώς
21	**comment ça**, *loc.*	how come?	así	come, in che modo	como assim?	πώς γίνεται
13	**complet**, *adj.*	full	completo	completo	completo, esgotado	πλήρης
26	**comprendre**, *v. tr. irr.*	to understand	comprender	capire, comprendere	compreender	καταλαβαίνω
19	**concert**, *n. m.*	concert	concierto	concerto	concerto	συναυλία
17	**confiture**, *n. f.*	jam	mermelada	marmellata	doce, marmelada	μαρμελάδα
23	**connaître**, *v. tr. irr.*	to know	conocer	conoscere	conhecer	ξέρω
26	**connaître (se)**, *v. pron. irr.*	to know each other	conocer (se)	conoscersi	conhecer-se	γνωρίζομαι
11	**conseil**, *n. m.*	advice	consejo	consiglio	conselho	συμβουλή
32	**construction**, *n. f.*	construction	construcción	costruzione	construção	κατασκευή
22	**contacter**, *v. tr.*	to contact	contactar	contattare	contactar	έρχομαι σε επαφή
10	**continuer**, *v. tr.*	to continue	continuar	proseguire ; continuare	continuar	συνεχίζω
20	**copain/copine**, *n.*	friend	amigo/a	amico(a)	amigo(a)	φίλος/φίλη
32	**coq**, *n. m.*	cock	gallo	gallo	galo	κόκορας
24	**correctement**, *adv.*	correctly	correctamente	correttamente	correctamente	ακριβώς
4	**correspondant(e)**, *n.*	correspondent, pen-friend	persona con la que uno se cartea	corrispondente	correspondente	ανταποκριτής
6	**couleur**, *n. f.*	colour	color	colore, *n. m.*	cor	χρώμα
9	**couloir**, *n. m.*	corridor	pasillo	corridoio	corredor	διάδρομος
2	**cours**, *n. m.*	lesson	curso	corso	curso, aula	μαθήματα
15	**courses (faire les –)**, *loc.*	shopping (to do the—)	compra (hacer la)	spesa (fare la –)	compras (fazer as)	ψωνίζω
8	**couteau**, *n. m.*	knife	cuchillo	coltello	faca	μαχαίρι
7	**coûter**, *v. intr.*	to cost	costar	costare	custar	κοστίζω
17	**crêpe**, *n. f.*	pancake	crepe	*crêpe*	crepe	κρέπα
32	**croissant**, *n. m.*	croissant	croisant	cornetto	croissant	κρουασάν
9	**cuisine**, *n. f.*	kitchen	cocina	cucina	cozinha	κουζίνα
28	**culturel**, *adj.*	cultural	cultural	culturale	cultural	πολιτισμικός

D

	French	English	Spanish	Italian	Portuguese	Greek
35	**d'abord**, *adv.*	first of all	primero	prima	primeiramente	πρώτα
6	**d'accord**, *adv.*	alright, OK	de acuerdo	d'accordo	de acordo	εντάξει
4	**danse**, *n. f.*	dancing, dance	danza	ballo, *n. m.* ; danza	dança	χορός
31	**de... à...**, *prép.*	from... to...	de.... a....	da... a...	de... a...	από...έως...,
33	**degré**, *n. m.*	degree	grado	grado	grau	βαθμός
22	**déjà**, *adv.*	already	ya	già	já	ήδη
15	**déjeuner**, *n. m.*	lunch	desayuno	pranzo	almoço	μεσημεριανό γεύμα
33	**demain**, *adv.*	tomorrow	mañana	domani	amanhã	αύριο
29	**demander**, *v. tr.*	to ask	pedir	chiedere, domandare	perguntar, pedir	ρωτάω
2	**dentiste**, *n.*	dentist	dentista	dentista	dentista	οδοντίατρος
13	**départ**, *n. m.*	departure	salida	partenza, *n. f.*	partida	αναχώρηση
35	**dépense**, *n. f.*	expense	gasto	spesa	despesa	δαπάνη
19	**descendre**, *v. tr./intr. irr.*	to go down	bajar	scendere	descer	κατεβαίνω
13	**désolé**, *adj.*	sorry	lo siento	spiacente	lamento	εγκαταλειμμένος
18	**dessert**, *n. m.*	dessert	postre	dessert, dolce	sobremesa	επιδόρπιο
12	**destination**, *n. f.*	destination	destino	destinazione	destino	προορισμός
16	**détendre (se)**, *v. pron. irr.*	to relax	relajar (se)	distendersi	descontrair(-se)	χαλαρώνω
25	**détester**, *v. tr.*	to hate	detestar	detestare	detestar	σιχαίνομαι
13	**deuxième classe**, *n. f.*	second class	segunda clase	seconda classe	segunda classe	δεύτερη θέση
19	**devenir**, *v. intr. irr.*	to become	llegar a ser	diventare, divenire	tornar-se	γίνομαι
36	**différence**, *n. f.*	difference	diferencia	differenza	diferença	διαφορά
13	**dimanche**, *n. m.*	Sunday	domingo	domenica, *n. f.*	domingo	Κυριακή
17	**dîner**, *n. m.*	dinner	cena	cena, *n. f.*	jantar	δείπνος
18	**dîner**, *v. intr.*	to have dinner	cenar	cenare	jantar	δειπνώ
22	**dire**, *v. tr. irr.*	to say	decir	dire	dizer	λέω
10	**direct**, *adj.*	direct	directo	diretto	directo(a)	απευθείας
2	**directeur/directrice** *n.*	director, manager, manageress	director/a	direttore/direttrice	director(a)	διευθυντής/ διευθύντρια
18	**dis donc**, *loc.*	really!	de verdad	veramente	caramba!	πώ πω !
25	**discothèque**, *n. f.*	discotheque	discoteca	discoteca	discoteca	ντισκοτέκ
14	**docteur**, *n. m.*	doctor	doctor	dottore	doutor	γιατρός
36	**document**, *n. m.*	document	documento	documento	documento	έγγραφο
14	**donc**, *conj.*	so	entonces	dunque	pois	άρα
21	**donner**, *v. tr.*	to give	dar	dare	dar	δίνω
15	**dormir**, *v. intr.*	to sleep	dormir	dormire	dormir	κοιμάμαι
9	**douche**, *n. f.*	shower	ducha	doccia	duche	ντους
22	**dynamique**, *adj.*	dynamic	dinámico	dinamico	dinâmico	δυναμικός

E

	French	English	Spanish	Italian	Portuguese	Greek
17	**eau minérale**, *n. f.*	mineral water	agua mineral	acqua minerale	água mineral	μεταλλικό νερό
22	**école**, *n. f.*	school	escuela	scuola	escola	σχολείο
15	**écouter**, *v. tr.*	to listen (to)	escuchar	ascoltare	escutar	ακούω
15	**écrire**, *v. tr. irr.*	to write	escribir	scrivere	escrever	γράφω
8	**écrivain**, *n.*	writer, author	escritor	scrittore/scrittrice *n.*	escritor(a)	συγγραφέας
3	**e-mail**, *n. m.*	email	e-mail/correo electrónico	e-mail, posta elettronica	e-mail	ηλεκτρονική διεύθυνση
34	**embrasser**, *v. tr.*	to kiss, embrace	besar	baciare	beijar	φιλώ
16	**endormir (s')**, *v. pron.*	to fall asleep	dormir (se)	addormentarsi	adormecer	αποκοιμάμαι
29	**enfance**, *n. f.*	childhood	infancia	infanzia	infância	παιδική ηλικία

	French	English	Spanish	Italian	Portuguese	Greek
15	**enfant**, *n. m.*	child	niño	bambino	criança	παιδί
27	**enfin**, *adv.*	lastly, at last	por fin, en fin	finalmente, alla fine	enfim	επιτέλους
15	**en général**, *loc.*	in general	en general	in generale	em geral	γενικά
36	**en moyenne**, *loc.*	on average	la media	in media	em média	κατά μέσο όρο
27	**ennuyer (s')**, *v. pron.*	to get bored	aburrir (se)	annoiarsi	aborrecer(-se)	βαριέμαι
20	**enquête**, *n. f.*	inquiry	investigación	inchiesta	investigação	έρευνα
26	**ensemble**, *adv.*	together	juntos	insieme	junto	μαζί
10	**ensuite**, *adv.*	then, next	enseguida	in seguito	em seguida	έπειτα
16	**entraînement**, *n. m.*	training	entrenamiento	allenamento	treino	εξάσκηση
16	**entraîner (s')**, *v. pron.*	to train	entrenar (se)	allenarsi	treinar	εξασκούμαι
9	**entrée**, *n. f.*	entrance (hall)	entrada	ingresso	entrada, hall	είσοδος
24	**entreprise**, *n. f.*	company	empresa	impresa, azienda	empresa	επιχείρηση
10	**entrer**, *v. intr.*	to enter, go in	entrar	entrare	entrar	μπαίνω
22	**entretien**, *n. m.*	interview	entrevista	colloquio	entrevista	συνέντευξη
35	**envie de (avoir –)**, *loc.*	to want	ganas de (tener –)	voglia di (avere –)	vontade de (ter-)	έχω όρεξη
33	**erreur**, *n. f.*	mistake	error	errore	erro	σφάλμα
26	**espace vert**, *n. m.*	park	jardín	spazi verdi, *n. m. plur.*	espaço(s) verde(s)	πάρκο
2	**espagnol**, *adj.*	Spanish	español	spagnolo	espanhol(a)	ισπανικός
34	**essayer**, *v. tr.*	to try	tratar	provare	tentar	προσπαθώ
11	**est**, *n. m.*	east	este	est	leste	ανατολή
2	**et**, *conj.*	and	y	e	e	και
9	**étage**, *n. m.*	floor	piso	piano	andar	όροφος
5	**étagère**, *n. f.*	shelf	estantería	mensola	prateleira	ράφι
22	**étranger/étrangère** *n.*	foreigner, stranger	extranjero/a	straniero(a)	estrangeiro(a)	ξένος/ξένη
1	**être**, *v. aux. irr.*	to be	ser	essere	ser	είμαι
1	**étudiant(e)**, *n.*	student	estudiante	studente/studentessa, *n.*	estudante	φοιτητής/φοιτήτρια
7	**euro**, *n. m.*	euro	euro	euro	euro	ευρώ
16	**éviter**, *v. tr.*	to avoid	evitar	evitare	evitar	αποφεύγω
24	**exactement**, *adv.*	exactly	exactamente	esattamente	exactamente	ακριβώς
18	**excellent**, *adj*	excellent	excelente	eccellente	excelente	άριστος
21	**excusez-moi**, *loc*	excuse me	perdón	scusami	desculpe-me	με συγχωρείτε
32	**exister**, *v. intr.*	to exist	existir	esistere	existir	υπάρχω
22	**expérience**, *n. f.*	experience	experiencia	esperienza	experiência	πείρα
F 32	**fabriquer**, *v. tr.*	to manufacture	fabricar	fabbricare	fabricar	κατασκευάζω
10	**fac(ulté)**, *n. f*	faculty, university	facultad	facoltà	faculdade	πανεπιστήμιο
34	**facile**, *adj.*	easy	fácil	facile	fácil	εύκολος
30	**faire**, *v. tr. irr.*	to do, make	hacer	fare	fazer	κάνω
24	**familier**, *adj.*	familiar	familiar	familiare	coloquial	γνωστός
20	**famille**, *n. f*	family	familia	famiglia	família	οικογένεια
36	**fantastique**, *adj.*	fantastic	fantástico	fantastico	fantástico	φανταστικός
17	**farine**, *n. f.*	flour	harina	farina	farinha	αλεύρι
26	**fatigué**, *adj.*	tired	cansado	stanco	cansado(a)	κουρασμένος
5	**fauteuil**, *n. m.*	armchair	sillón	poltrona, *n. f.*	poltrona	πολυθρόνα
34	**félicitations**, *n. f. plur.*	congratulations	felicitaciones	auguri, *n. m. plur* congratulazioni	parabéns	συγχαρητήρια
1	**femme**, *n. f.*	woman	mujer	donna	mulher	γυναίκα
5	**fenêtre**, *n. f.*	window	ventana	finestra	janela	παράθυρο
20	**fête**, *n. f.*	celebration, party	fiesta	festa	festa	γιορτή
20	**feu d'artifice**, *n. m.*	fireworks	fuegos artificiales	fuoco d'artificio	fogo de artifício	πυροτέχνημα
3	**fille**, *n. f.*	girl, daughter	hija, chica	ragazza	rapariga, filha	κόρη
5	**fleur**, *n. f.*	flower	flor	fiore, *n. m.*	flor	λουλούδι
19	**fois**, *n. f.*	time	vez	volta	vez	φορά
16	**folie**, *n. f.*	excess	locura	follia, pazzia	loucura	τρέλα
4	**football**, *n. m.*	football	fútbol	calcio	futebol	ποδόσφαιρο
15	**footing**, *n. m.*	jogging	footing	footing, jogging	jogging	περπάτημα (για άσκηση)
1	**français**, *adj.*	French	francés	francese	francês(francesa)	γαλλικός
17	**fromage**, *n. m.*	cheese	queso	formaggio	queijo	τυρί
16	**fruit**, *n. m.*	fruit	fruta	frutto	fruta	φρούτο
13	**fumeur/non fumeur**, *adj.*	smoking/non-smoking	fumador/no fumador	fumatore/non fumatore	fumador/ não-fumador	καπνιστής/καπνίστρια
G 26	**gagner**, *v. tr.*	to earn	ganar	guadagnare	ganhar	κερδίζω
3	**garçon**, *n. m.*	boy	muchacho	ragazzo	rapaz	αγόρι
10	**gare**, *n. f.*	station	estación	stazione	estação	σταθμός
17	**gâteau**, *n. m.*	cake	pastel	torta, *n. f.* ; dolce	bolo	γλύκισμα
27	**glace**, *n. f.*	ice-cream	helado	gelato, *n. m.*	gelado	παγωτό
30	**glissant**, *adj.*	slippery	resvaladizo	sdrucciolevole	escorregadio(a)	ολισθηρός
4	**golf**, *n. m.*	golf	golfo	golf	golfe	γκολφ
23	**goût**, *n. m.*	taste	gusto	gusto	gosto	γούστο
17	**gramme**, *n. m.*	gram	gramo	grammo	grama	γραμμάριο
6	**grand**, *adj.*	tall, big	grande	grande	grande	ψηλός
29	**grand-mère**, *n. f.*	grandmother	abuela	nonna	avó	γιαγιά
29	**grand-père**, *n. m.*	grandfather	abuelo	nonno	avô	παππούς
12	**gratuit**, *adj.*	free	gratuito	gratuito, gratis	gratuito(a)	δωρεάν
7	**gris**, *adj.*	grey	gris	grigio	cinzento(a)	γκρι
32	**guerre**, *n. f.*	war	guerra	guerra	guerra	πόλεμος
4	**guyanais**, *adj.*	Guyanese	guyanés	della Guyana	guianense	από τη Γουιάνα
15	**gymnastique**, *n. f.*	gymnastics	gimnasia	ginnastica	ginástica	γυμναστική
H 15	**habiller (s')**, *v. pron.*	to dress, get dressed	vestir (se)	vestirsi	vestir(-se)	ντύνομαι
2	**habiter**, *v. tr/intr.*	to live	vivir	abitare	morar	μένω
32	**haute couture**, *n. f.*	haute couture, high fashion	alta costura	alta moda	alta costura	υψηλή ραπτική
11	**hélicoptère**, *n. m.*	helicopter	helicóptero	elicottero	helicóptero	ελικόπτερο
13	**heure**, *n. f.*	hour, time	hora	ora	hora	ώρα
29	**heures (passer des –)**, *loc.*	hours (to spend—)	horas (pasar-)	ore (passare delle –)	horas (passar –)	ώρες
30	**heurter**, *v. tr.*	to hit	chocar	urtare	chocar, bater	τρακάρω

	French	English	Spanish	Italian	Portuguese	Greek
18	**hier,** *adv.*	yesterday	ayer	ieri	ontem	χθες
31	**histoire,** *n. f.*	story	historia	storia	história	ιστορία
1	**homme,** *n. m.*	man	hombre	uomo	homem	άντρας
13	**horaire,** *n. m.*	timetable	horario	orario	horário	δρομολόγιο
3	**hôtel,** *n. m.*	hotel	hotel	albergo, hotel	hotel	ξενοδοχείο
12	**hôtel de ville,** *n. m.*	town hall	alcaldía	municipio	câmara municipal	δημαρχείο

I ▶

	French	English	Spanish	Italian	Portuguese	Greek
26	**ici,** *adv.*	here	aquí	quì, quà	aqui	εδώ
23	**idée,** *n. f.*	idea	idea	idea	ideia	ιδέα
17	**il faut,** *v. imp.*	it is necessary, must	hay que	bisogna	é preciso	πρέπει να
5	**il y a,** *v. imp.*	there is/are	hay	c'è/ci sono	há	υπάρχει
11	**île,** *n. f.*	island	isla	isola	ilha	νησί
24	**imaginer,** *v. tr.*	to imagine	imaginar	immaginare	imaginar	φαντάζομαι
9	**immeuble,** *n. m.*	building	edificio	stabile, edificio, palazzo	edifício	πολυκατοικία
22	**important,** *adj.*	important	importante	importante	importante	σημαντικός
26	**inconvénient,** *n. m.*	disadvantage	inconveniente	inconveniente, svantaggio	desvantagem	μειονέκτημα
22	**indispensable,** *adj.*	essential, vital	indispensable	indispensabile	indispensável	απαραίτητος
14	**informaticien(ne),** *n.*	computer analyst	informático/a	analista informatico	técnico de informática	ειδικός πληροφορικής
33	**inquiéter (s'),** *v. pron.*	to worry	preocupar (se)	preoccuparsi	inquietar(-se)	ανησυχώ
18	**inspecteur/inspectrice,** *n.*	inspector	inspector/a	ispettore/ispettrice	inspector(a)	επιθεωρητής/επιθεωρήτρια
35	**installer,** *v. tr.*	to install, put in	instalar	istallare	instalar	εγκαθιστώ
22	**institut,** *n. m.*	institute	instituto	istituto	instituto	ινστιτούτο
21	**interdire,** *v. tr. irr.*	to forbid	prohibir	proibire, vietare	proibir	απαγορεύω
12	**intéressant,** *adj.*	interesting	interesante	interessante	interessante	ενδιαφέρων
29	**interview,** *n. f.*	interview	entrevista	intervista	entrevista	συνέντευξη
23	**invité(e),** *n.*	guest	invitado	invitato	convidado(a)	καλεσμένος/καλεσμένη
1	**italien,** *adj.*	Italian	italiano	italiano	italiano(a)	ιταλικός
4	**ivoirien,** *adj.*	from the Ivory Coast	marfileño	della Costa d'avorio, ivoriano	marfinense	από το Ελεφαντοστούν

J ▶

	French	English	Spanish	Italian	Portuguese	Greek
2	**japonais,** *adj.*	Japanese	japonés	giapponese	japonês(japonesa)	γιαπωνέζικος
10	**jardin,** *n. m.*	garden	jardín	giardino	jardim	κήπος
6	**jaune,** *adj.*	yellow	amarillo	giallo	amarelo(a)	κίτρινο
6	**jean,** *n. m.*	(pair of) jeans	pantalones vaqueros	jeans, *n. m. plur.*	calças de ganga	τζιν
13	**jeudi,** *n. m.*	Thursday	jueves	giovedì	quinta-feira	Πέμπτη
22	**jeune,** *adj.*	young	joven	giovane	jovem	νέος
7	**joli,** *adj.*	pretty	bonito	grazioso	bonito(a)	όμορφος
15	**jouer,** *v. intr.*	to play	jugar	giocare	jogar, brincar	παίζω
29	**jouet,** *n. m.*	toy	juguete	giocattolo	brinquedo	παιχνίδι
11	**jour,** *n. m.*	day	día	giorno	dia	(η)μέρα
14	**journal,** *n. m.*	newspaper	periódico	giornale	jornal	εφημερίδα
18	**journal intime,** *n. m.*	private diary	diario	diario	diário	ημερολόγιο
30	**journaliste,** *n.*	journalist	periodista	giornalista	jornalista	δημοσιογράφος
15	**journée,** *n. f.*	day	jornada, día	giornata	dia	ημέρα
18	**journée (passer une bonne –),** *loc.*	day (to spend a nice—)	día (pasar un buen –)	giornata (trascorrere una bella –)	dia (passar um bom –)	περάστε μια όμορφη μέρα
31	**jupe,** *n. f.*	skirt	falda	gonna	saia	φούστα
16	**jus,** *n. m.*	juice	zumo	succo	sumo	χυμός
31	**jusqu'en,** *loc.*	until	hasta	fino a	até	μέχρι
11	**juste,** *adv.*	just	justo	giusto	só, precisamente	ακριβής

K ▶

	French	English	Spanish	Italian	Portuguese	Greek
17	**kilogramme,** *n. m.*	kilogram	kilogramo	chilogrammo	quilograma	χιλιόγραμμο
12	**kilomètre,** *n. m.*	kilometre	kilómetro	chilometro	quilómetro	χιλιόμετρο

L ▶

	French	English	Spanish	Italian	Portuguese	Greek
10	**là,** *adv.*	there	ahí	là, lì	aqui, lá	εδώ
19	**là-bas,** *adv.*	over there	allí	laggiù	ali, acolá	εκεί
23	**laisser,** *v. tr.*	to leave	dejar	lasciare	deixar	αφήνω
17	**lait,** *n. m.*	milk	leche	latte	leite	γάλα
22	**langue,** *n. f.*	language	lengua	lingua	língua	γλώσσα
15	**laver (se),** *v. pron.*	to wash, get washed	lavar (se)	lavarsi	lavar(-se)	πλένομαι
4	**lecture,** *n. f.*	reading	lectura	lettura	leitura	διάβασμα
17	**légumes,** *n. m. plur.*	vegetables	verduras	verdure, *n. f. plur.*	legumes	λαχανικά
22	**lettre,** *n. f.*	letter	carta	lettera	carta	γράμμα
16	**libre,** *adj.*	free	libre	libero	livre	ελεύθερος
23	**lieu,** *n. m.*	place	lugar	luogo	lugar	τόπος
15	**lire,** *v. tr. irr.*	to read	leer	leggere	ler	διαβάζω
17	**liste,** *n. f.*	list	lista	lista	lista	κατάλογος
8	**lit,** *n. m.*	bed	cama	letto	cama	κρεβάτι
17	**litre,** *n. m.*	litre	litro	litro	litro	λίτρο
4	**littérature,** *n. f.*	literature	literatura	letteratura	literatura	λογοτεχνία
5	**livre,** *n. m.*	book	libro	libro	livro	βιβλίο
17	**livre (poids),** *n. f.*	pound (weight)	libra (peso)	libbra (peso)	libra (peso)	λίβρα
28	**location,** *n. f.*	rented accommodation	alquiler	affitto, *n. m.*	alojamento arrendado	ενοικίαση
10	**loin,** *adv.*	far	lejos	lontano	longe	μακριά
25	**loisirs,** *n. m. plur.*	leisure activities	ocio	tempo libero, hobby	lazeres	τρόποι διασκέδασης
16	**long,** *adj.*	long	largo	lungo	longo(a)	μακρύς
34	**longtemps,** *adv.*	long time	mucho tiempo	molto tempo, a lungo	muito tempo	πολύς καιρός
9	**louer,** *v. tr.*	to rent	alquilar	affittare	alugar	νοικιάζω
13	**lundi,** *n. m.*	Monday	lunes	lunedì	segunda-feira	Δευτέρα
6	**lunettes,** *n. f. plur.*	glasses	gafas	occhiali, *n. m. plur.*	óculos	γυαλιά

M ▶

	French	English	Spanish	Italian	Portuguese	Greek
1	**madame,** *n. f.*	madam	señora	signora	senhora	κυρία
18	**magasin,** *n. m.*	shop	tienda	negozio, magazzino	loja	μαγαζί
25	**magazine,** *n. m.*	magazine	revista	rotocalco, rivista	revista	περιοδικό
19	**magnifique,** *adj.*	magnificent	magnífico	magnifico	magnífico(a)	εξαίρετος
3	**maintenant,** *adv.*	now	ahora	adesso, ora	agora	τώρα
14	**mais,** *conj.*	but	pero	ma	mas	αλλά
18	**maison,** *n. f.*	house	casa	casa	casa	σπίτι
35	**malade,** *adj.*	ill, sick	enfermo	malato	doente	άρρωστος
17	**maman,** *n. f.*	mummy	mamá	mamma	mamã	μαμά

	French	English	Spanish	Italian	Portuguese	Greek
17	**manger,** v. tr.	to eat	comer	mangiare	comer	τρώω
6	**manteau,** n. m.	coat	abrigo	cappotto	casaco	παλτό
15	**marché,** n. m.	market	mercado	mercato	mercado	αγορά
19	**marcher,** v. intr.	to walk	caminar	camminare	andar	περπατώ
13	**mardi,** n. m.	Tuesday	martes	martedì	terça-feira	Τρίτη
17	**mardi gras,** n. m.	Shrove Tuesday	martes de carnaval	martedì grasso	Terça-feira de Carnaval	καθαρή Δευτέρα
1	**mari,** n. m.	husband	marido	marito	marido	σύζυγος
20	**mariage,** n. m.	marriage	boda	matrimonio	casamento	γάμος
26	**marier (se),** v. pron.	to get married	casar (se)	sposarsi	casar(-se)	παντρεύομαι
12	**maritime,** adj.	maritime	marítimo	marittimo	marítimo(a)	θαλάσσιος
16	**match,** n. m.	match	partido	partite, n. f.	jogo	αγώνας
24	**matériel informatique,** n. m.	computer equipment	material de informática	materiale informatico	material informático, hardware	υλικό πληροφορικής
13	**matin,** n. m.	morning	mañana	mattino	manhã	πρωί
23	**mauvais,** adj.	bad	malo	cattivo	mau(má)	κακός
21	**médecin,** n. m.	doctor	médico	medico	médico(a)	γιατρός
9	**meilleures salutations,** loc.	best wishes	un cordial saludo	distinti saluti	respeitosos cumprimentos	χαιρετισμούς
36	**même,** adj.	same	mismo/a	stesso(a)	mesmo(a)	ίδιος
15	**ménage (faire le –),** loc.	housework (to do the—)	limpiar	lavori domestici (fare i –)	limpeza (fazer a –)	συγυρίζω
11	**mer,** n. f.	sea	mar	mare, n. m.	mar	θάλασσα
3	**merci,** n. m.	thank you	gracias	grazie	obrigado(a)	ευχαριστώ
13	**mercredi,** n. m.	Wednesday	miércoles	mercoledì	quarta-feira	Τετάρτη
4	**mère,** n. f.	mother	madre	madre	mãe	μητέρα
33	**météo,** n. f.	weather	meteorología	metereologia	meteorologia	μετεωρολογική υπηρεσία
9	**mètre carré,** n. m.	square metre	metro cuadrado	metro quadrato	metro quadrado	τετραγωνικό μέτρο
10	**métro,** n. m.	metro, underground	metro	metropolitana, n. f.	metro	μετρό
35	**mettre,** v. tr. irr.	to put	poner	mettere	pôr	βάζω
5	**meuble,** n. m.	piece of furniture	mueble	mobile	móvel	έπιπλο
19	**minute,** n. f.	minute	minuto	minuto, n. m.	minuto	λεπτό
8	**miroir,** n. m.	mirror	espejo	specchio	espelho	καθρέφτης
9	**mois,** n. m.	month	mes	mese	mês	μήνας
20	**moment,** n. m	moment	momento	momento	momento	στιγμή
26	**monde,** n. m.	people	mundo	mondo	mundo	κόσμος
28	**monde (les gens),** n. m.	people	mundo (gente de)	gente, n. f.	mundo (a gente)	κόσμος
1	**monsieur,** n. m.	Mr, mister	señor	signore	senhor	κύριος
28	**montagne,** n. f.	mountain	montaña	montagna	montanha	βουνό
19	**monter,** v. tr. intr.	to go up	montar	salire	subir	ανεβαίνω
22	**mot,** n. m.	word	palabra	parola, n. f.	palavra	λέξη
10	**moto,** n. f.	motorcycle	moto	motocicletta	moto	μοτοσικλέτα
19	**mourir,** v. intr. irr.	to die	morir	morire	morrer	αποβιώνω
20	**muguet,** n. m.	lily of the valley	muguete	mughetto	lírio-do-vale	καμπανούλα
5	**mur,** n. m.	wall	pared	muro	parede, muro	τοίχος
16	**musculation,** n. f.	body building	musculación	culturismo, n. m.	musculação	άσκηση μυικου συστήματος
10	**musée,** n. m.	museum	museo	museo	museu	μουσείο
8	**musicien(ne),** n.	musician	músico	musicista	músico(a)	μουσικός (ο, η)
4	**musique classique,** n. f.	classical music	música clásica	musica classica	música clássica	κλασική μουσική
19	**naître,** v. intr. irr.	to be born	nacer	nascere	nascer	γεννιέμαι
15	**natation,** n. f.	swimming	natación	nuoto	natação	κολύμβηση
1	**nationalité,** n. f.	nationality	nacionalidad	nazionalità	nacionalidade	εθνικότητα
4	**nature,** n. f.	nature	naturaleza	natura	natureza	φυσικό
20	**Noël,** n. m	Christmas	Navidad	Natale	Natal	χριστούγεννα
6	**noir,** adj.	black	negro	nero	preto(a)	μαύρος
1	**nom,** n. m.	name	nombre	nome	nome	όνομα
1	**non,** adv.	no	no	no	não	όχι
11	**nord,** n. m.	north	norte	nord	norte	βοράς
23	**nouveau/nouvelle,** adj.	new	nuevo/a	nuovo(a)	novo(a)	καινούργιος/καινούρια
20	**nouvel an,** n. m.	New Year	Año Nuevo	anno nuovo	Ano Novo	νέο έτος
33	**nuage,** n. m.	cloud	nube	nuvola, n. f.	nuvem	σύννεφο
3	**numéro,** n. m.	number	número	numero	número	αριθμός
5	**objet,** n. m.	object	objeto	oggetto	objecto	αντικείμενο
24	**œil,** n. m.	eye	ojo	occhio	olho	μάτι
17	**œuf,** n. m.	egg	huevo	uovo, n. m./uova, n. f. plur.	ovo	αυγό
12	**office de tourisme,** n. m.	tourist office	oficina de turismo	ufficio di turismo	posto de turismo	γραφείο τουρισμού
23	**offrir,** v. tr.	to offer	ofrecer	offrire, regalare	oferecer	προσφέρω
25	**opéra,** n. m.	opera	ópera	opera, n. f.	ópera	όπερα
8	**orange,** n. f.	orange	naranja	arancia	laranja	πορτοκάλι
23	**original,** adj.	original	original	originale	original	πρωτότυπος
13	**ou,** conj.	or	o	o, oppure	ou	ή
9	**où,** adv.	where	donde	dove	onde	πού
11	**ouest,** n. m.	west	oeste	ovest	oeste	δύση
1	**oui,** adv.	yes	sí	sì	sim	ναι
26	**ouvert,** adj.	open	abierto	aperto	aberto(a)	ανοιχτός
36	**page,** n. f.	page	página	pagina	página	σελίδα
17	**pain,** n. m.	bread	pan	pane	pão	ψωμί
6	**pantalon,** n. m.	(pair of) trousers	pantalón	pantaloni, n. m. plur.	calças	παντελόνι
20	**papa,** n. m.	daddy	papá	papà	papá	μπαμπάς
33	**parapluie,** n. m.	umbrella	paraguas	ombrello	guarda-chuva	ομπρέλα
19	**parc,** n. m.	park	parque	parco	parque	πάρκο
27	**parce que,** conj.	because	porque	perché	porque	γιατί
3	**pardon,** n. m.	excuse me	perdón	scusi, scusa	desculpe	συγνώμη
29	**parents,** n. m. plur.	parents	padres	genitori	pais	γονείς
11	**parfait,** adj.	perfect	perfecto	perfetto	perfeito(a)	τέλειος
16	**parfois,** adv.	sometimes	a veces	qualche volta	às vezes	ενίοτε
9	**parking,** n. m.	car park, parking space	aparcamiento	parcheggio	parque de estacionamento	πάρκινγκ
3	**parler,** v. tr. intr.	to speak	hablar	parlare	falar	μιλάω

	French	English	Spanish	Italian	Portuguese	Greek
13	**partir,** *v. intr.*	to leave	ir (se)	partire	partir	φεύγω
25	**pas du tout,** *adv.*	not at all	en absoluto	niente affatto	de modo algum	καθόλου
10	**passer,** *v. tr. intr.*	to go past	pasar	passare	passar	περνώ
30	**passer (se),** *v. pron.*	to happen	pasar (se)	succedere, accadere	acontecer	συμβαίνει
18	**pâtes,** *n. f. plur.*	pasta, noodles	pasta	pasta, *n. f.*	massas	μακαρόνια
20	**pâtisserie,** *n. f.*	cake shop	pastelería	pasticceria	pastelaria	ζαχαροπλαστείο
27	**pause,** *n. f.*	break	pausa	pausa	pausa	διακοπή
32	**pays,** *n. m.*	country	país	paese	país	χώρα
8	**peintre,** *n.*	painter	pintor	pittore/pittrice	pintor(a)	ζωγράφος
8	**peinture,** *n. f.*	painting	pintura	pittura	pintura	ζωγραφιά
13	**pendule,** *n. f.*	clock	péndulo	pendola	relógio	εκκρεμές
26	**penser,** *v. tr. intr.*	to think	pensar	pensare	pensar	σκέπτομαι
4	**père,** *n. m.*	father	padre	padre	pai	πατέρας
6	**personne,** *n. f.*	person	persona	persona	pessoa	πρόσωπο
6	**petit,** *adj.*	small	pequeño	piccolo	pequeno(a)	μικρός
20	**petit ami,** *n. m.*	boy/girlfriend	novio/a	ragazzo/a	namorado(a)	φίλος/φίλη
9	**petite annonce,** *n. f.*	classified ad	anuncio	annuncio	anúncio	μικρή αγγελία
15	**petit déjeuner,** *n. m.*	breakfast	desayuno	colazione	pequeno almoço	πρωινό
24	**peut-être,** *adv.*	perhaps	quizá	forse	talvez	ίσως
4	**photo(graphie),** *n. f.*	photo(graph)	foto(grafía)	foto(grafia)	foto(grafia)	φωτογραφία
2	**photographe,** *n.*	photographer	fotógrafo	fotografo	fotógrafo(a)	φωτογράφος
5	**pièce,** *n. f.*	room	pieza	stanza	assoalhada	δωμάτιο
10	**pied,** *n. m.*	foot	pie	piede	pé	πόδι
11	**piscine,** *n. f.*	swimming pool	piscina	piscina	piscina	δεξαμενή
9	**placard,** *n. m.*	cupboard	armario	armadio a muro	armário	ντουλάπα
10	**place,** *n. f.*	place	lugar	posto	lugar, sítio	πλατεία
21	**place (spectacle),** *n. f.*	seat (show)	entrada (espectáculo)	posto	lugar (espectáculo)	θέση
13	**place (avoir de la –),** *loc.*	room (to have –)	sitio (tener –)	spazio (avere –)	lugar, espaço (ter –)	χώρος
11	**plage,** *n. f.*	beach	playa	spiaggia	praia	παραλία
9	**plan,** *n. m.*	plan	plan	piano	planta	σχέδιο
23	**plat,** *n. m.*	dish	plato	piatto	prato	πιάτο, φαγητό
30	**pleuvoir,** *v. imp. irr.*	to rain	llover	piovere	chover	βρέχει
33	**pluie,** *n. f.*	rain	lluvia	pioggia	chuva	βροχή
8	**poème,** *n. m.*	poem	poema	poema	poema	ποίημα
8	**poète,** *n.*	poet	poeta	poeta	poeta	ποιητής
27	**point de vue,** *n. m.*	point of view	punto de vista	punto di vista	ponto de vista	άποψη
22	**point faible,** *n. m.*	weak point	punto débil	punto debole	ponto fraco	αδύνατο σημείο
22	**point fort,** *n. m.*	strong point	punto fuerte	punto forte	ponto forte	δυνατό σημείο
17	**poisson,** *n. m.*	fish	pez	pesce	peixe	ψάρι
26	**pollution,** *n. f.*	pollution	contaminación	inquinamento, *n. m.*	poluição	μόλυνση
17	**pomme de terre,** *n. f.*	potato	patata	patata	batata	πατάτα
10	**pont,** *n. m.*	bridge	puente	ponte	ponte	γέφυρα
12	**port,** *n. m.*	port	puerto	porto	porto	λιμάνι
6	**porter,** *v. tr.*	to wear	llevar	portare, indossare	usar (roupa)	βαστώ
6	**portrait,** *n. m.*	portrait, description	retrato	ritratto	retrato	πορτραίτο
24	**poser,** *v. tr.*	to ask	poner	porre	fazer (uma pergunta)	βάζω
14	**possible,** *adj.*	possible	posible	possibile	possível	δυνατός
10	**poste,** *n. f.*	post office	puesto	posta	correios	ταχυδρομείο
29	**poupée,** *n. f.*	doll	muñeca	bambola	boneca	κούκλα
26	**pour ou contre,** *adv.*	for or against	a favor o en contra	pro o contro	a favor ou contra	υπέρ ή κατά
21	**pouvoir,** *v. aux. irr.*	to be able to	poder	potere	poder	μπορώ
28	**pratique,** *adj.*	practical	práctico	pratico(a)	prático(a)	πρακτικός
25	**préférer,** *v. tr.*	to prefer	preferir	preferire	preferir	προτιμώ
10	**prendre,** *v. tr. irr.*	to take	tomar	prendere	ir (por)	παίρνω
1	**prénom,** *n. m.*	first name	nombre	nome	nome (de baptismo)	όνομα (μικρό)
15	**préparer,** *v. tr.*	to prepare	preparar	preparare	preparar	ετοιμάζω
24	**présentation,** *n. f.*	appearance	presentación	presentazione	aparência	παρουσίαση
28	**principalement,** *adv.*	mainly	principalmente	principalmente	principalmente	κυρίως
22	**privé,** *adj.*	private	privado	privato	privado(a)	ιδιωτικός
7	**prix,** *n. m.*	price	precio	prezzo	preço	τιμή
36	**probable,** *adj.*	probable	probable	probabile	provável	πιθανός
22	**problème,** *n. m.*	problem	problema	problema	problema	πρόβλημα
13	**prochain,** *adj.*	next	próximo	prossimo	próximo(a)	επόμενος
2	**professeur,** *n.*	teacher	profesor	professore/professoressa	professor(a)	καθηγητής /καθηγήτρια
3	**profession,** *n. f.*	profession	profesión	professione	profissão	επάγγελμα
34	**projet,** *n. m.*	plan	proyecto	programma, progetto	projecto	σχέδιο
16	**promener (se),** *v. pron.*	to go for a walk	pasear(se)	passeggiare	passear	περιπατώ
36	**publicité,** *n. f.*	advertising	publicidad	pubblicità	publicidade	διαφήμιση
11	**puis,** *adv.*	then	entonces	poi	depois	κατόπιν
6	**pull-over,** *n. m.*	pullover	jersey	pullover, maglione	camisola	πουλόβερ
10	**pyramide,** *n. f.*	pyramid	pirámide	piramide	pirâmide	πυραμίδα
Q ▶ 12	**quai,** *n. m.*	quay	andén	banchina, molo	cais, plataforma	πλατφόρμα
7	**quantité,** *n. f.*	quantity	cantidad	quantità	quantidade	ποσότητα
4	**québécois,** *adj.*	from Quebec	quebequense	del Quebec	quebequense	Από το Κεμπέκ
23	**quelque chose,** *pron.*	something	algo	qualche cosa	alguma coisa	κάτι
1	**question,** *n. f.*	question	pregunta	domanda	questão, pergunta	ερώτηση
25	**questionnaire,** *n. m.*	questionnaire	cuestionario	questionario	questionário	ερωτηματολόγιο
1	**qui est-ce ?** *loc.*	who is it?	¿quién es?	chi è ?	quem é?	ποιος είναι;
23	**quitter,** *v. tr.*	to leave	dejar	lasciare	deixar	εγκαταλείπω
R ▶ 24	**raconter,** *v. tr.*	to tell	contar	raccontare	contar	διηγούμαι
30	**radio,** *n. f.*	radio	radio	radio	rádio	ράδιο
26	**raison (avoir –),** *loc.*	right (to be –)	razón (tener –)	ragione (avere –)	razão (ter –)	έχω δίκιο
4	**rap,** *n. m.*	rap	rap	rap	rap	ραπ
9	**récent,** *adj.*	recent	reciente	recente	recente	πρόσφατος
11	**réception,** *n. f.*	reception	recepción	reception	recepção	υποδοχή
7	**référence,** *n. f.*	reference	referencia	referenza	referência	αναφορά

16	**regarder,** *v. tr.*	to watch	mirar	guardare	assistir (à televisão)	κοιτάζω
29	**remercier,** *v. tr.*	to thank	dar las gracias/agradecer	ringraziare	agradecer	ευχαριστώ
28	**rencontrer,** *v. tr.*	to meet	encontrar	incontrare	encontrar	συναντώ
31	**rencontrer (se),** *v. pron.*	to meet (up)	encontrar(se)	incontrarsi	encontrar(-se)	συναντιέμαι
14	**rendez-vous,** *n. m.*	appointment	cita	appuntamento	encontro	ραντεβού
13	**renseignement,** *n. m.*	(piece of) information	información	informazione, *n. f.*	informação	πληροφορία
14	**rentrer,** *v. tr.*	to go home	volver	rientrare	voltar	γυρίζω
17	**repas,** *n. m.*	meal	comida	pasto	refeição	γεύμα
25	**répondre,** *v. tr./intr. irr.*	to answer	contestar	rispondere	responder	απαντώ
30	**reportage,** *n. m.*	report	reportaje	servizio	reportagem	ρεπορτάζ
15	**reposer (se),** *v. pron.*	to have a rest	descansar	riposarsi	descansar	χουζουρεύω
22	**réserver,** *v. tr.*	to book, reserve	reservar	prenotare	reservar	επιφυλάσσομαι
28	**résidence secondaire,** *n. f.*	second home	segunda residencia	residenza secondaria	residência secundária	δεύτερη κατοικία
9	**responsable,** *n.*	manager	responsable	responsabile	responsável	υπεύθυνος
11	**restaurant,** *n. m.*	restaurant	restaurante	ristorante	restaurante	εστιατόριο
22	**restauration,** *n. f.*	catering	restauración	ristorazione	restauração	εστιατόρια
14	**rester,** *v. intr.*	to stay, remain	quedarse	rimanere, restare	ficar, permanecer	απομένω
34	**resto,** *n. m.*	restaurant	restaurante	ristorante	restaurante	εστιατόριο
28	**résultat,** *n. m.*	result	resultado	risultato	resultado	επακόλουθο
16	**retourner,** *v. intr.*	to go back	volver	ritornare	retornar	επιστρέφω
23	**retraite,** *n. f.*	retirement	jubilación	pensione	reforma	σύνταξη
14	**réunion,** *n. f.*	meeting	reunión	riunione	reunião	συνάντηση
24	**réussir,** *v. tr./intr.*	to succeed	lograr	riuscire	ter êxito	επιτυγχάνω
19	**revenir,** *v. intr. irr.*	to come back	volver	ritornare	voltar	επανέρχομαι
27	**rêver,** *v. intr.*	to dream	soñar	sognare	sonhar	ονειρεύομαι
9	**rez-de-chaussée,** *n. m.*	ground floor	planta baja	piano-terra, pianterreno	rez-do-chão	ισόγειο
17	**riz,** *n. m.*	rice	arroz	riso	arroz	ρύζι
6	**robe,** *n. f.*	dress	vestido	vestito, *n. m.*	vestido	ρόμπα
4	**rock,** *n. m.*	rock music	rock	rock	rock	ροκ
10	**rollers,** *n. m. plur.*	roller skates/blades	patines	roller, pattini	patins em linha	πατίνια (ρόλερς)
20	**romantique,** *adj.*	romantic	romántico	romantico(a)	romântico(a)	ρομαντικό
32	**roue,** *n. f.*	wheel	rueda	ruota	roda	ρόδα
6	**rouge,** *adj.*	red	rojo	rosso(a)	vermelho(a)	κόκκινος
30	**rouler,** *v. intr.*	to travel, drive	rodar	viaggiare, circolare	rodar	κινούμαι (με αυτοκίνητο)
30	**route,** *n. f.*	road	carretera	strada	estrada	δρόμος
2	**rue,** *n. f.*	street	calle	via	rua	δρόμος
5	**sac,** *n. m.*	bag	bolsa	borsa, *n. f.*	bolsa, saco	τσάντα
17	**salade,** *n. f.*	salad, lettuce	ensalada	insalata	salada	σαλάτα
9	**salle de bains,** *n. f.*	bathroom	cuarto de baño	stanza da bagno	casa de banho	μπάνιο
35	**salon,** *n. m.*	living room, lounge	salón	salotto, soggiorno, salone	salão	σαλόνι
3	**salut,** *n. m.*	hi!	hola	ciao	olá	για σου
13	**samedi,** *n. m.*	Saturday	sábado	sabato	sábado	Σάββατο
22	**savoir,** *v. tr. irr.*	to know	saber	sapere	saber	ξέρω
8	**sculpteur,** *n.*	sculptor	escultor	scultore/scultrice	escultor(a)	γλύπτης
2	**secrétaire,** *n.*	secretary	secretario	segretario(a)	secretário(a)	γραμματέας
9	**séjour,** *n. m.*	stay	estancia	soggiorno	estadia	διαμονή
14	**semaine,** *n. f.*	week	semana	settimana	semana	εβδομάδα
4	**serveur/serveuse,** *n.*	waiter, waitress	camarero/a	cameriere(a)	empregado(a) de mesa	σερβιτόρος/σερβιτόρα
14	**seulement,** *adv.*	only	sólamente	soltanto, solamente	somente	μόνο
25	**sexe,** *n. m.*	sex	sexo	sesso	sexo	φύλο
2	**s'il vous plaît,** *loc.*	please	por favor	per favore, per cortesia	se faz favor	παρακαλώ
7	**site Internet,** *n. m.*	Web site	sitio internet	sito Internet	site Internet	δικτυακός τόπος
15	**ski,** *n. m.*	skiing	esquí	sci	esqui	σκι
14	**société,** *n. f.*	company	sociedad	società	sociedade	εταιρία
4	**sœur,** *n. f.*	sister	hermana	sorella	irmã	αδελφή
14	**soir,** *n. m.*	evening	tarde	sera	noite	βράδυ
19	**soirée,** *n. f.*	evening	fiesta	serata	noite	βραδιά
27	**soleil,** *n. m.*	sun	sol	sole	sol	ήλιος
9	**sombre,** *adj.*	dark	sombra	scuro(a)	sombra	σκοτεινό
16	**sortir,** *v. intr.*	to go out	salir	uscire	sair	βγαίνω
22	**souriant,** *adj.*	smiling	sonriente	sorridente	sorridente	χαμογελαστός
20	**souvenir,** *n. m.*	memory	recuerdo	ricordo	lembrança	ενθύμιο
29	**souvenir (se),** *v. pron. irr.*	to remember	acordar(se)	ricordare, ricordarsi	lembrar(-se)	θυμάμαι
4	**souvent,** *adv.*	often	a menudo	spesso	frequentemente	συχνά
21	**spectacle,** *n. m.*	show, play	espectáculo	spettacolo	espectáculo	θέαμα
4	**sport,** *n. m.*	sport	deporte	sport	desporto	σπορ
16	**stress,** *n. m.*	stress	estrés	stress	stress	στρες
17	**sucre,** *n. m.*	sugar	azúcar	zucchero	açúcar	ζάχαρη
11	**sud,** *n. m.*	south	sur	sud	sul	νότος
30	**suivre,** *v. tr. irr.*	to follow	seguir	seguire	seguir	ακολουθώ
27	**super,** *adj.*	great, fantastic	super, genial	super	porreiro(a)	σούπερ
35	**supprimer,** *v. tr.*	to get rid of	suprimir	sopprimere	suprimir	καταργώ
33	**sûr,** *adj.*	sure	seguro	sicuro	seguro(a)	σίγουρος
14	**surprise,** *n. f.*	surprise	sorpresa	sorpresa	surpresa	έκπληξη
32	**symbole,** *n. m.*	symbol	símbolo	simbolo	símbolo	σύμβολο
2	**sympa,** *adj.*	nice, friendly	simpático	simpatico	agradável	συμπαθητικός
5	**table,** *n. f.*	table	mesa	tavolo	mesa	τραπέζι
7	**taille,** *n. f.*	size	talla	misura, taglia	tamanho	μέγεθος
8	**tapis,** *n. m.*	carpet	alfombra	tappeto	tapete	χαλί
14	**tard,** *adv.*	late	tarde	tardi	tarde	αργά
13	**tarif,** *n. m.*	price	tarifa	tariffa, *n. f.*	tarifa, preço	τιμή
21	**téléphone,** *n. m.*	telephone	teléfono	telefono	telefone	τηλέφωνο
21	**téléphone portable,** *n. m.*	mobile phone	teléfono móvil	cellulare	telemóvel	κινητό τηλέφωνο
18	**téléphoner,** *v. intr.*	to phone	llamar por teléfono	telefonare	telefonar	τηλεφωνώ
11	**télévision,** *n. f.*	television	televisión	televisione	televisão	τηλεόραση
30	**témoignage,** *n. m.*	report, account	testimonio	testimonianza	testemunho	μαρτυρία

	French	English	Spanish	Italian	Portuguese	Greek
33	**température**, *n. f.*	temperature	temperatura	temperatura	temperatura	θερμοκρασία
33	**temps**, *n. m.*	weather	tiempo	tempo	tempo	καιρός
23	**tenir**, *v. tr. irr.*	to hold	tener	tenere	segurar	κρατώ
15	**tennis**, *n. m.*	tennis	tenis	tennis	ténis	τένις
16	**terminer (se)**, *v. pron.*	to end	acabar(se)	finire, terminare	terminar, acabar(-se)	τελειώνω
11	**terrasse**, *n. f.*	terrace	terraza	terrazza, terrazzo	terraço, esplanada	ταράτσα
30	**terrifié**, *adj.*	terrified	aterrorizado	terrorizzato	aterrado(a)	τρομοκρατημένος
12	**TGV**, *n. m.*	TGV high-speed train	AVE (Tren de Alta Velocidad)	Treno a Alta Velocità	comboio francês de alta velocidade	TGV
2	**thé**, *n. m.*	tea	té	tè	chá	τσάι
19	**théâtre**, *n. m.*	theatre	teatro	teatro	teatro	θέατρο
16	**toilette (faire sa –)**, *loc.*	washed (to get—)	lavar(se)	toletta (fare –)	lavar-se	πλένομαι
9	**toilettes**, *n. f. plur.*	toilet	baños	toilettes, bagno	casa de banho	τουαλέτα
19	**tomber**, *v. intr.*	to fall	tumbar	cadere	cair	πέφτω
14	**tôt**, *adv.*	early	pronto	presto	cedo	νωρίς
12	**tour**, *n. f.*	tower	vuelta	torre	torre	πύργος
28	**tourisme**, *n. m.*	tourism	turismo	turismo	turismo	τουρισμός
14	**tout**, *adv.*	all	todo	tutto	tudo	όλα
34	**tout de suite**, *adv.*	immediately	enseguida	subito, immediatamente	imediatamente	αμέσως
26	**tout le monde**, *loc.*	everyone	todo el mundo	tutti	toda a gente	όλος ο κόσμος
12	**train**, *n. m.*	train	tren	treno	comboio	τρένο
28	**tranquille**, *adj.*	calm, tranquil	tranquilo	tranquillo(a)	tranquilo(a)	ήσυχος
14	**travailler**, *v. tr./intr.*	to work	trabajar	lavorare	trabalhar	δουλεύω
35	**travaux (faire des –)**, *loc.*	work (to have—done)	obras	lavori (fare dei –)	trabalhos, obras (fazer –)	κάνω έργα
10	**traverser**, *v. tr.*	to cross	atravesar	attraversare	atravessar	διασχίζω
7	**très**, *adv.*	very	muy	molto	muito	πολύ
29	**triste**, *adj.*	sad	triste	triste	triste	λυπημένος, θλιβερός
26	**trop**, *adv.*	too much	demasiado	troppo	demais	παρά πολύ
7	**trouver**, *v. tr.*	to think of; to find	encontrar	trovare	achar	βρίσκω
16	**truc**, *n. m.*	thing	cosa	cosa, *n. f.*, affare	coisa	κάτι
6	**T-shirt**, *n. m.*	tee-shirt	camiseta	maglietta	tee-shirt	μπλουζάκι
7	**type**, *n. m.*	guy, chap	tipo	tipo	tipo, gajo	τύπος
U 4	**un peu**, *adv.*	a little	un poco	un po'	um pouco	λίγο
24	**utiliser**, *v. tr.*	to use	utilizar	utilizzare	utilizar	χρησιμοποιώ
V 14	**vacances**, *n. f. plur.*	holidays	vacaciones	vacanze	férias	διακοπές
5	**vase**, *n. m.*	vase	jarrón	vaso	vaso	βάζο
10	**vélo**, *n. m.*	bicycle	bicicleta	bici(cletta), *n. f.*	bicicleta	ποδήλατο
24	**vendre**, *v. tr. irr.*	to sell	vender	vendere	vender	πουλώ
13	**vendredi**, *n. m.*	Friday	viernes	venerdì	sexta-feira	Παρασκευή
19	**venir**, *v. intr. irr.*	to come	venir	venire	vir	έρχομαι
5	**verre**, *n. m.*	glass	vaso	bicchiere	copo	ποτήρι
18	**verre (prendre un –)**, *loc.*	drink (to have a—)	copa (tomar una –)	bere qualcosa	copo (tomar um –)	πίνω ένα ποτό
15	**vers**, *prép.*	at about (time)	hacia	verso	à volta de	προς
6	**vert**, *adj.*	green	verde	verde	verde	πράσινος
6	**vêtement**, *n. m.*	article of clothing	vestido	vestito, capo d'abbigliamento	roupa	ρούχο
17	**viande**, *n. f.*	meat	carne	carne	carne	κρέας
24	**vie**, *n. f.*	life	vida	vita	vida	ζωή
14	**vie (faire quelque chose dans la –)**, *loc.*	life (to do something in your—)	(hacer algo en la –)	(fare qualcosa nella –)	(fazer algo na –)	ασχολούμαι
11	**ville**, *n. f.*	town, city	ciudad	città	cidade	πόλη
17	**vin**, *n. m.*	wine	vino	vino	vinho	κρασί
11	**visiter**, *v. tr.*	to visit	visitar	visitare	visitar	επισκέπτομαι
30	**vite**, *adv.*	quickly	rápido	presto	depressa	γρήγορα
27	**vivement**, *adv.*	long live…!	vivo	che presto venga/vengano…	oxalá	ζήτω
26	**vivre**, *v. intr. irr.*	to live	vivir	vivere	viver	ζω
13	**voie**, *n. f.*	platform	vía	binario, *n. m.*	plataforma (de estação)	δρόμος
11	**voilà**, *prép.*	there you are	toma, vale	ecco	eis aí	ορίστε
14	**voir**, *v. tr. irr.*	to see	ver	vedere	ver	βλέπω
1	**voisin(e)**, *n.*	neighbour	vecino/a	vicino(a)	vizinho(a)	γείτονας/γειτόνισσα
10	**voiture**, *n. f.*	car	coche	macchina	carro	αυτοκίνητο
21	**voiture (train)**, *n. f.*	carriage (train)	vagón (tren)	vettura	carruagem (comboio)	βαγόνι
4	**volley-ball**, *n. m.*	volleyball	balón-bolea	palla a mano	voleibol	βόλεϊ-μπολ
13	**je voudrais (vouloir)**, *v. tr. irr.*	I would like	quisiera (querer)	vorrei (volere)	eu queria (querer)	θα ήθελα να
22	**vouloir**, *v. tr. irr.*	to want	querer	volere	querer	θέλω
11	**voyage**, *n. m.*	journey, travel	viaje	viaggio	viagem	ταξίδι
27	**vraiment**, *adv.*	really	de verdad	veramente	mesmo	αληθινά
W 11	**week-end**, *n. m.*	weekend	fin de semana	fine settimana	fim-de-semana	σαββατοκύριακο
Y 16	**yaourt**, *n. m.*	yoghurt	yogur	yogurt	iogurte	γιαούρτι

Imprimé en Italie par Rotolito Lombarda
Dépôt légal 76646-09/2006-Collection n° 45 - Edition n° 01
15/5508/5